志村けん 160の言葉

志村けん
KEN SHIMURA

青志社

志村けん写真典
KEN SHIMURA

変なおじさん

◉役作りのこだわりが強く、なりきるために密かに街に出たりして人物観察取材を行なった。

バカ殿

◉お笑いといえども、殿様の衣装は本物を身に着けて、ゴージャス感を高めた。

ひとみばあさん

◉「ひとみばあさん」みたいなおばあちゃんって、どこかに必ずいそうで、楽しく、なごむ。

◉ヨロケながらビールをぶっかける演技は、いつ観ても笑えた。パイ投げよりも、いまかいまかの期待感が強くあって楽しかった。

◉『だいじょうぶだぁ』の特番にゲスト出演で集まったドリフのメンバー。まだまだ若い!

ザ・ドリフターズ

◉1969年（昭和44）から始まった『8時だョ！全員集合』は1985年（昭和60）9月まで16年間にわたって、お茶の間に笑いを届けた。初期のメンバー荒井注の退団をきっかけに1974年（昭和49）に志村けんが新たなメンバーとして加わった。（写真は2003年（平成15）12月23日放送の『ドリフ大爆笑』。左から志村けん、仲本工事、いかりや長介、加藤茶、高木ブー）

◉母、和子さんとすぐ上の兄美佐男さんと遠足に。志村けん4歳の日。

◉5歳の夏、明るくてワンパク坊主。野や山を駆け回って遊んでいた。

◉中2まで成績は、まずまずだったが、新設された都立東久留米高校をめざし猛勉強をして合格した。

◉異性への淡い恋心が芽生え始めた中学時代。この頃すでに将来はお笑いの世界へ進む夢をふくらませていた。

◉1976年（昭和51）1月2日の志村家集合写真。
前列左、長兄の知之さんと義姉のサヨ子さん。
後列、母和子さん、志村けん、次兄の美佐男さん。
すでにドリフで活躍。お正月で帰郷した時のスナップ。

◉1972年（昭和47）ドリフに入る前に「マックボンボン」という名のお笑いコンビで舞台に立った。

◉2001年（平成13）母、和子さんの願いは末っ子の「けんちゃん」の結婚と、一日も早く孫の顔を見ることだったが、叶わぬ夢となった。

◉東京・三鷹の豪邸では愛犬たちと暮らし、生涯を独身で通した。無類の動物好きだった。

志村けん

160の言葉

志村けん

青志社

まえがき

志村がいた日々　加藤茶

失って初めて、自分の手の中にあったものが、どれだけ掛け替えのないものであったか気づくという。志村けんの突然の死に驚き、戸惑い、そして僕は失った存在の大きさに茫然とした。

志村は高校在学中の一九六八年（昭和四十三）にいかりや長介さんに押しかけ、弟子入りしてドリフターズのメンバーの付き人になり、後に僕の担当付き人になった。後に荒井注さんが抜けたあとの新メンバーに抜擢されてから、年が近い僕とは兄弟のようにしてつき合ってきた。酒を酌み交わし、芸について論じ、アドバイスもすれば、彼の卓越した演出プランやアイデアにいっさいをまかせたこともある。

出会いから五十二年——半世紀を超えて、志村はいつも僕の隣にいたのだということを今、改めて噛みしめている。

ドリフターズの付き人になった志村を初めて見たとき、「このボーヤ、続くかな？」と思った。一見、どこにでもいるような平凡な高校生だった。そのころドリフは寝る時間もないほど多忙で、付き人志願者は次から次へとやってくるが、ハードなため、ドミノ倒しのように三日、一週間で辞めていく。ところが志村は辞めないし、付き人の仕事を苦にしなかった。

付き人を最優先にして高校の卒業式にも出ないと言うので、「卒業式くらい出てケジメをつけろ」と志村を説得し、長さんに話をつけ一日休ませて卒業させたほどだった。

人なつこいし、機転も利く。やる気もある。いままでのボーヤたちとは違ってお笑いに貪欲だった。僕と気が合って仲良しにもなった。酒を飲んでも交わすのは、徹底したお笑い論で志村は努力家で、勉強家だった。

「これは将来、ものになるかな」と見直したところが、一年ほどして突然いなくなった。後になって、この一年の時期について、外の世界を知りたくて放浪の旅に出たと知った。

志村は、お笑いの視野を広げるために、社会経験が必要と考え、さまざまな職種のバイトをして経験を積み重ねた。

一年後、ドリフにもどりたいと僕に相談してきたとき、「おまえにやる気があるのなら」と言って、長さんに取りなした。長さんは僕に、「なんで帰ってくる気になったんだ」といったことは一言も訊かないで「わかった」と言って迎えた。

こういう経過があって、志村はドリフで僕の担当付き人になり、言いたいことを言い合う兄弟のような関係になっていった。

ドリフターズの大きな転機は、荒井注さんが抜けるときだった。

長さんは荒井さんと同年代の人間を新しいメンバーとして考えていた。「キャラクターや年代など、このメンバー構成で人気を博しているのだから、この方針で行く」これが長さんの考え方だった。だけど僕はそうは思わなかった。

「荒井さんと同じ年代の人を入れたのでは、これまでの延長です。あんまり代わり映えしないんじゃない？」

「じゃ、誰かいるのか？」

「うちにいい弟子が一人いるじゃないですか。志村です。あいつを入れれば、荒井さんとは違ったお笑いを生み出せるんじゃないですか。志村なら、うちのやり方も雰囲気もすべてわかっていますし、考えてくれませんか」

そんな話し合いがあって、志村をドリフの新メンバーに入れることが決まった。志村がこれでトントン拍子に人気が出たのならラッキーボーイ。人生の「幸運譚」として語られるだろう。

ところが、現実は甘くなかった。ここから志村は苦悩し、もがくことになる。それがやがて、世代を越えて国民のみんなに愛された人気者の志村を作っていくきっかけとなった。

『全員集合』の本番が終わって、志村と飲みに行くことがあった。本番が無事に終わり、週に一度の開放感にひたる時間だ。ところが志村に開放感はない。

「加藤さん、どうすれば、お客さんに笑ってもらえるんでしょうか」

落ち込み、憔悴している。志村の気持ちはわかった。荒井注という絶対的な先輩が抜けたあとへ、名前も何も知らない駆け出しが入ってきてウケるわけがない。

だから、僕は言った。

「入口で悩んでるのは、おまえ、ちょっと早いんじゃないか？」

おまえはまだ〝お笑いの入口〟にいるだけ——そう言ったのだ。くだけた言い方をすれば、「悩むのは十年早い」ということ。その上で、こう付け加えた。

「自分で工夫して、苦労してみて、わからないところは先輩たちに訊けばいい。そういう努力をしてから悩んでみても遅くないいんじゃないか？　だから居直って、怒られるまで自分のやりたいことをやれ、自分のやりたいことを全部出せ」

それから志村は自分をどんどん出すようになった。長さんはじめメンバーも認めていった。飲み込みも早かった。それに新しいセンスを持って、長さんと俺たちが作っていたものと違うものを入れてきた。志村は笑われるのが大好きだった。だからやはり入れて正解だったなと思っている。こうして志村は自信をつけ、自分なりのものを出していき、それが「東村山音頭」を生み一気にブレイクして、「バカ殿」など一連の〝志村調〟を完成させていくのである。

志村と僕は同じA型だけど、彼は僕とは全然違うA型。志村は全部自分で考えて決めていきたいタイプ。僕はいい加減で、大まかなことが決まったら、その中でどうやって泳ぐ（演じる）かということしか考えてない。だからあいつはボケも出来るしツッコミもできる。そういう意味では長さんに似ている。やっぱりやる気が大切なのだ。戻ってきて、ここで苦労して、もう一回頑張ってみようと努力を重ねて摑んだ結果である。志村は笑われることに命を懸けてきた。笑われることが、生きる活力だった。志村のコントはわかりやすく、日常的でお年寄りから子どもまでウケた。

トップランナーとして走り、七十歳になって、これから名人の域に入るときだった。それなのにコロナっていうわけのわからないような病気で亡くなってしまった。これがすごく痛いし、悔しい。

ドリフのメンバーたちと、「志村が七十になって、俺たちに追いついてきたら、年取ったなりのドリフターズ見せよう、年取ったなりのコントやろう」と話し、志村もそれを楽しみにしていた矢先の訃報だった。どの分野でもそうだけど、七十歳というのは円熟の世界。名人の域に入ってくる。その姿をファンや僕たちに見せる前に、志村は逝ってしまった。

亡くなる直前、NHKの朝ドラと同時に山田洋次監督の松竹キネマの出演が決まっていた。これまでと違う志村が見られると周りから期待されていた。真面目な役者としてノーメイクで演じて、それで面白かったら大成功なわけだ。それをこれからやれる時だった。どういうふうに演じるのか楽しみにしてたが、それはとうとう叶わぬ夢となった。

もし、早くに結婚して、口うるさい嫁さんがいたら、病気であんなふうにはならなかったのではないかなとは思う。でも、あいつは意識の全部が仕事に向く方だった。家庭を大事にするとか、嫁さんを大事にするとか、そういう頭がいっさい無い。仕事一辺倒になる。それは僕もよくわかっていながらも、もし結婚してたらまた違っていたのではないかという思いは捨てきれない。

志村が残した言葉に僕へのメッセージがあると編集部に聞かされた。

どんな言葉なの？　と尋ねた。

《オレがこの道を歩んでこれたのは、あなたがいたから……》

それを聞いたとき、僕はしばらく言葉を失った――。

照れ屋でシャイな志村から生前、一度たりと、そんな心中を明かされたことはなかった。思わぬ志村の言葉に、僕の身体は火照った。胸が熱い。やりきれなく熱い。

僕も志村に伝えたい。

「志村よ、お前がいてくれて俺も良かった」と。

天国がどんな世界なのかわからない。もしできるなら、長さんと荒井注さんと志村の三人でコントをやっていて欲しい。そこに、後から僕なり仲本なりが行って五人が集合したら、おっと一人忘れていた、高木さんもだ。また一緒にドリフをやって、そっちのお客さんを大爆笑させたい。志村は亡くなった。それにしても残念だ。だけど、これまで語ってきた多くの言葉となって、いまも生きていると僕は思っている。

「志村、逢いたいね。それまで元気でな」

二〇二〇年七月

志村けん

160の言葉

目次

41 とりあえず殿だったらいいやって、顔を真っ白く塗って、眉毛をかく。あれ、相当雑でしょ？……111

42 同じキャラクターの場合、何年たっても基本的に特徴は変えません……112

43 何やってもいいんだものね。そこまでやっちゃいけないだろうということでも……114

44 子供でもお年寄りでもわかる笑いという、僕がめざしてる根本のところはちっとも変わってない。
でも、お客さんの見る目や芸能界の様子はどんどん変わってきている……115

45 ここはクスクスと笑い、ここで大笑いと、台本を作るうえで計算して笑いの場面を作っている……117

46 屈折した感じでしょうか。それが「変なおじさん」のモチーフになっている……120

47 言い方なんですね。「大丈夫だ」がふつうなんですけど、「だいじょうぶだぁ」と言うと、
ちょっと楽しくなるんですよね……121

48 なぜか夜中の2時、3時になると僕らのところにあいさつにくる、
ひとみさんというおばあさんがいた……122

49 ばあさんとね、酔っぱらいがいちばん疲れるんですよ。そのコントをやるのが……124

50 目が悪いから、（舞台上での）バカ殿のときもほとんど見えてないから、暗転のときが一番、怖い。
暗転になった途端、すぐ隣の人の手をパッとつかまないと……126

51 自分が面白いと思ったことしかやらない、というのがこだわりかな……127

52 不思議な風体の人間がいると尾行していくわけ。無意識のうちに見てんだろうな。何かないか、何かないかって……129

53 人間、つらいことがあっても、笑っていれば、瞬間、そのつらさを忘れることができるじゃないですか。たとえ一瞬でも……。そういう笑いをつくれれば十分なんだね……131

54 「こんな酔っぱらい、いるよなあ」とか、「こんなおばあちゃん、いるよな」って見せないと、ぼくはダメなんですよ。それが原点ですね……132

55 5人から2人になったときに、「つまんない」って言われるのがいちばん辛いんで、プレッシャーというか、かなりきましたね……133

56 芸人なんかに常識求めちゃいけないよね……134

57 全員集合で子供のファンが多いっていわれて、じゃ今度加トケンやって、だいじょうぶだぁやって、それでもついてくるんです……135

58 チャップリンみたいに、音楽もあって、表情でも寂しさを表現してるみたいな笑いのほうが好きだね、とっても人間的で……136

59 笑いには今も昔もなくて、普遍的なものだと思っているということだ……137

60 子供達が素直に参加できればウケますね、必ず……139

61 まず屁をしてみる、で「エーッ」と顔をしかめる人はダメ。笑っちゃう子がいいんです……140

第五章 あなたに感謝 愛情、友情、恋情

第六章 僕の居場所 一人になって考える知恵……209

114 僕は金には執着がない。やっぱり、入ってきたものはきちんと排泄しないと回ってこない……223

115 休むと不安になっちゃうもん。頭を回転させてることを。何か新しいものか、なんかを見るとか聴くとかしてないとダメなのね……224

116 近所の子供が登校時間にイタズラするんですよ。なんとかしなきゃあって思って、玄関のところで、待っててね……225

117 近頃は、「健康オタク」といわれるくらい健康には気をつかっている……226

118 オレ、いまでも、サツマイモ見るだけでムカツクもん……228

119 秋の夜長、新鮮なふぐに舌鼓みを打ち、旨い酒を酌み交わす。酒が酒を飲む……229

120 僕は、落ち込んだ時は、自分をもっと落ち込むようにもっていくタイプ……230

121 パン君が会った瞬間「キッ」と声を出すのは、宮沢さんと僕だけなんですって。頬ずりしてくる。いやぁ、たまらないですよ……232

122 昔から、子どもと動物にはかなわない……233

123 ペットがいいのは、まず可愛いから、気持ちがなごむでしょう。あと、嘘をつかないでしょう？喋らないし、余計なことを言わない……234

124 犬はオレの、心の「癒し」なんですよ……236

125 とくにオレは、ボケが怖い……239

第七章 人生の見つけ方 石を投げてみよ……245

装丁・本文デザイン

岩瀬聡

第一章

夢の原点

コンプレックスと才能

1

SHIMURA KEN

小一の時の運動会でね、スタートのピストルがパーンと鳴った瞬間、ブリブリッと、うんちを漏らしちゃったの

俺、東村山出身でしょう。俺の子供の頃は本当に田舎で、小学校四年までは分校に通ってたんだ。小一の時の運動会でね、徒競走のスタートラインで並んで待ってたら、緊張で胸がドキドキしてさ、スタートのピストルがパーンと鳴った瞬間、ブリブリッと、うんちを漏らしちゃったのよ（笑）。パンツがじっとり重くなって、やっぱ、なんだかにおうんだよねえ（笑）。

他のみんなは夢中でトラックを走って行くじゃない？　けど俺はその背中を一瞬目で追って、その場にしゃがみこんじゃって、恥ずかしいやらなにやらで、今でもよくわかんないんだけど、誰かに声を出して、何かに訴えるわけでもなく、左腕で両目を押さえてそのまま号泣したのよ（笑）。まわりの大人に「志村くん、志村くん」って体を支えられて、たぶんトイレに連れて行かれたのかなあ、その後のことはあんまり憶えてないんだよね。

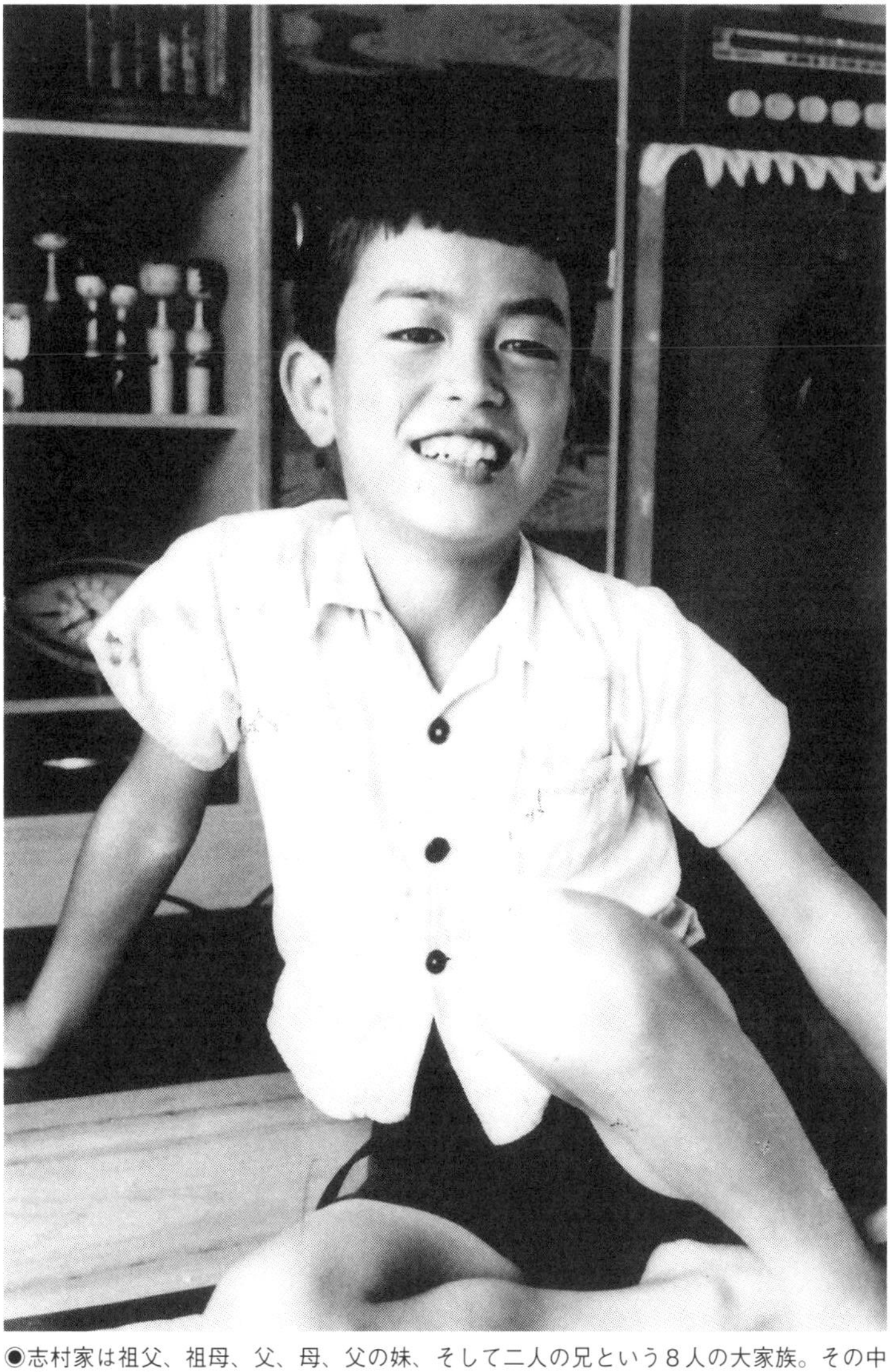

◉志村家は祖父、祖母、父、母、父の妹、そして二人の兄という８人の大家族。その中で生きる術を学んでいった。

応援していた家族も心配しただろうね、けど、後で真相を知って「困った子だね」と笑ったんだろうね。

「芸能生活40周年　志村けんが初めて語った」２０１２年10月

＊　　＊

あまりの人の多さに恥ずかしくてねぇ。その汚名を挽回するために、面白いことを始めたんですよ。小学４年生で友達と組んでコントを披露したんです。（落語家の）柳家金語楼さんのレコードを元にやったんだよね。中身は覚えてないけど……最初が酔っ払いの役、っていうのが運命を感じさせるね。そのころから、じいちゃんの晩酌で残ったやつを貰って飲んでたから。酔っ払いコントは今でも好きだね。なぜって？　よくある風景でしょ。

「コントの神様　志村けんの美学」２００７年７月

2

SHIMURA KEN

お笑い以外の道は、考えなかったです

中学生の時には、もうコメディアンになろうと決めていました。もともと子どもの頃か

らテレビのお笑い番組を見るのが好きで。イヤなことがあっても大笑いすれば、その一瞬は日常を忘れられるじゃないですか。人を笑わせる仕事っていいなあと思いました。もうお笑い以外の道は、考えなかったです。

ウチは家族が多くて、オヤジ、オフクロ、僕の兄弟3人とそのほかにじいさん、ばあさん、オヤジの妹、合計8人もいた。男兄弟だったからケンカなんかも多くて、けっこうワーワーやってました。

でも、オヤジが小学校の教頭で厳格な人だったから、家庭の中にあまり笑いはなかった。何か言うと殴られたりして、あまり一緒に遊んだという記憶もないですね。

だからお笑いはもっぱら外で。小学生の頃から酔っ払いのマネとかして、友達を笑わせてました。オヤジが教員で兄貴は公務員。末っ子の僕だけが、まったく違うお笑いの道に入ってしまったわけです。

オフクロは踊りや芸事が大好きで、僕はその血を引いているんでしょう。末っ子ということもあって、実は中学生ぐらいまでオフクロと一緒に寝てました……。いえ、布団がなかったもんで（笑）。だから、乳離れは遅かったみたいですよ。

「50歳直前に語ったオレのすべて」1999年3月

3
SHIMURA KEN

家の中が窮屈なわけ。それで、学校でワーワー騒ぐ。するとと笑われる。笑われると、もううれしくて……

おやじは教員で、家に帰ってくると、すぐ自分の部屋にひきこもって勉強するといったふうだったから、家の中が窮屈なわけ。それで、学校でワーワー騒ぐ。すると笑われる。笑われると、もううれしくて……(笑い)。

オレ、末っ子の甘ったれで、中学2年まで、おふくろと寝てたんですよ。おふくろのオッパイにさわりながらじゃないと、寝れないのね(笑い)。それで、あとからきいた話だけど、おやじが自分の部屋から顔を出して、おふくろに〝康徳《やすのり》(志村の本名)はまだ寝ないのか?〟ってきくんだって。オレが寝ないと、おやじは不自由するわけね(笑い)。

「青春を支えた女性との愛を語った!」1977年1月

＊　＊

小学校時代の友達に、「おまえはあのころからおもしろかった」と言われるんだけど、当時のことはほとんど覚えてないの。で、「オレ、何やった？」って聞いたら、「ラジオ体操のとき必ず、全部逆をやったじゃないか」って。

「美奈子倶楽部『本音を聞かせて！』」2000年2月

4
SHIMURA KEN

親父は厳しかった。一緒に酒を飲むということも1回もなかったしね

親父には、あんまり接した記憶がないんですよ。ず～っと校長になるための試験勉強してたんで、うちへ帰ってくるとすぐ書斎に入っちゃうしね。「給食費ください」と言いに行く時に会うとかね。金は親父が仕切ってましたから。

でも、昔の家って、みんなそんなふうじゃない？　封建的でしたよ。それこそ男尊女卑じゃないけど、女がいちばん最後に風呂入るとか、そういうのが普通でしたから。子供の時に「ずっとそこで座ってろ」と、正座させられたことは覚えていますね。親父は厳しか

ったです。悪いことをすれば、手を上げますしね。柔道五段だから、怖いですから。僕が高校のころ、親父は交通事故を起こして、5年後には、その後遺症で入退院を繰り返すようになったから、親父と一緒に酒を飲むということも1回もなかったしね。

だから、親父のイメージは「怖い」というのと、そのあと事故の後遺症でガラッと変わった、情けな～い姿と両極端で……。おふくろのほうは、親父と比べたら、エピソードはいっぱいあるけれど……。

「恋愛は〝3年周期〟お付き合いは〝忍耐〟です！」2000年10月

5
SHIMURA KEN

面白いことをやれば、女のコの注意をひくことができるだろう

中学生ぐらいになると、こういうタイプだから「どうせ女にはモテねェだろう」と思うわけじゃない。じゃあ、どうすればいいのか？　なんか面白いことをやれば、女のコの注意をひくことができるだろうって「どっひゃー」とかってやると、「いやだあ、志村クン」とかって言ってこっちを見てくれるんですよね（笑）。

◉小学校の教頭だった父憲司さん。兄二人をはさんで中央が志村けん（本名・志村康徳）。

だから、いまだに好きな女が僕の番組を見て笑っている顔がすごく好きですよ。いまは、カッコいい男の子より、むしろ面白い子がモテたりするけど、それをいち早く察知して狙ってたんじゃないですかね（笑）。

それと、やっぱり親父に対する反発だろうな……。

「バカ殿インタビュー　志村けん」1999年3月

6
SHIMURA KEN

一番早く起きて一番遅く寝てるのはおふくろなんだぞって、腹が立って腹が立って

うーん男尊女卑は、うちのおふくろがその時代の人で、散々ひどい目にあっているから、僕は男尊女卑は嫌いです。子どもの頃ね、うちは東村山の大きな農家で、じいさん、ばあさんが実権握ってたの。

おふくろが料理をする時は砂糖でも塩でも、ばあさんの許可を得ないと使わせてもらえないような家だったんです。

いつだったか俺らのおやつに、おふくろが小麦粉を溶いて焼く、お焼きみたいなのを作ってくれたんです。中にほんの少し砂糖入れて、醤油付けて焼くやつ。忙しくて無断だったのかな、砂糖が減ったのどうしたのってばあさん激怒して、大仰にじいさんに言いつけちゃってさ。じいさんは息子に、僕の親父にですね、嫁に勝手なことをさせるなって叱りつけたんです。

絶対服従だったから、昔は。親父ったらおふくろを畑に連れ出して、そこで殴ってね、自分の妻のことを。俺ら兄弟で垣根越しに見てました。なんてことするんだ、あんたらの孫や子どものために使っただけだろ。一番早く起きて一番遅く寝てるのはおふくろなんだぞって、腹が立って腹が立って。

女の人を粗末にするもんじゃないという思いは、子ども時代のことがあるからかもしれない。それに俺、無茶苦茶オンナ好きですから。

「気になる人と気になる話　柴門ふみと12人の男たち」１９９８年10月

7

SHIMURA KEN

高校の担任の先生に「中学までの義務教育で自分の向いているものがわかれば、そのまま進めばいいんだ」と言われましてね

いま思うと、親父がボケ出す前後の高校時代が一番楽しかったんですよね。新設校で先輩がいないということもあって、ホント、のびのびできましたから。それに、中学はどうしても地元の東村山のヤツばっかりでしょう。それが高校になると、同じ東京でも23区のヤツとつき合うわけじゃない。

それだけでも行動範囲が広がって、親友が烏山《からすやま》にいたんだけど、どこにあるかも知らなかったからね。で、そいつの家に遊びに行ったら、勉強部屋があったんですよ。

「ヘェー、お前、自分の部屋もってんのか」ってビックリしてサ。

しかも、本棚に本がズラーッと並んでいるじゃない。「お前、これ全部読んだのか?」「うん」とかって言われて、ショックを受けたのを覚えていますよ。「俺、何もやってねェな」って。で、「1冊借りてもいいか」と言って、なぜか山本周五郎だったんですけど、

そこで初めて読書の面白さがわかってね。それからは手当たり次第に、なんでもかんでも……。

ほかにもクラシックが好きな友だちなんかもいて、「こんなの聴くのかよ」なんて言ってたんだけど、聴いたら、「結構、いいじゃん」なんてなったりしてサ。音楽のほうは、ビートルズの影響を受けてグループを組んだりしてたんですけど、俺の場合、どうしてもお笑いのほうへいっちゃうんですよ。「志村、ここだけはちゃんと演奏しようぜ」とかって言われても、ついウケを狙ったりして（笑）。

それに、高校の担任の先生に「中学までの義務教育で自分の向いているものがわかれば、そのまま進めばいいんだ」と言われましてね。で、「義務教育でわかんないやつが高校にきて、それでもわかんないやつが大学に行くんだ」と。

そのときの先生の言葉が染みてサ。「じゃあ、俺はすぐお笑いにいく。やっぱ、間違ってねェんだ、俺は」って。実際、同級生で就職したのは、俺を含めて2人だけですから。あとは全員大学進学という。

「バカ殿インタビュー　志村けん」1999年3月

＊　＊

中学校の後半になると、友達で一人エレキギター持ってるやつがいた。ビートルズの曲をかけて、それに合わせ『アンド・アイ・ラブ・ハー』とか『シー・ラブズ・ユー』とか歌ったりしていましたね。ドラムなんてないから、段ボール箱を前に置いて、棒切れでバタバタバタッと叩くの。

パートとかは何も決まってない。だって、ギター持っているのは一人で、あとは楽器がないんだから。歌詞なんかも、レコードをゆっくり回してカタカナで書きとって覚えたけど、意味は全然わかってなかった。(笑)

高校に入ると僕もギターを買って、今度はヘビメタをかじったりしてた。グランド・ファンク・レイルロードとか、ユーライア・ヒープとか。

家だとうるさいからって、裏の畑の中でやったりしてたね(笑)。長〜い延長コードを使ってましたよ。

仲間に一人、電気屋の倅がいたんです。所ジョージの従兄弟なんだけど、そいつが電気工事で使うグルグル巻いた丸いやつを持って来たりしてね。

「初体験のBGMはビートルズ『愛こそすべて』」2003年1月

8

SHIMURA KEN

学生時代はクラスの人気者ってわけじゃなかったですよ。けっこう恥ずかしがり屋でさ

高校の文化祭では、ステテコと腹巻き姿でてんぷくトリオのマネをし、大ウケした。文化祭やったのは小金井公会堂。今でも覚えている。僕は都立久留米高校の第1期生だったから、学校には体育館もないし、校舎も1年目はプレハブだった。体育の授業なんて校庭の草むしりなんだよ（笑）。だけど、先輩がいなくてグズグズ言われなかったのはよかったね。

学生時代はクラスの人気者ってわけじゃなかったですよ。けっこう恥ずかしがり屋でさ。2、3人ぐらいでワァワァやってるのが好きだったの。でも、とにかく、ほかのやつとは違った行動をしていた。高校で化学の時間に白衣を着るんだけど、「こりゃ楽でいいや」って、ほかの授業でも相棒と2人でずーっと着て、偉そうに先生みたいに歩いていたり。高校1年のころだったかな。相棒と「コレ、おもしろいらしいぜ」と、学校休んで新宿

の地球座にジェリー・ルイスの3本立て映画を見に行った。そのうちの1本、「底抜けてんやわんや」（61年作品）がすごくおもしろくてねぇ。一日中見ていた。セリフがなく、動きだけで大笑いさせる。ショックを受けたよ。しゃべりじゃなく、体を動かすことで笑わす僕のコントはその映画の影響が大きいんだ。

「志村けん　お笑い帝王の逆襲！　2回」1998年1月

＊　　＊

高校（都立久留米高校）に入っても、大学に行こうとか思ってないから、ほとんど、遊んでたね。結局、男子生徒で大学受験しなかったの、僕ともう1人しかいなかったですよ。3年になると、授業もほとんど、受験のための授業でしょ。それで、一度、校長室へ抗議しに行ったですもん。「学校は、受験、受験ってやってるけど、受験しないオレは、学校でなにしてればいいんだ」って。その時は、担任の先生に、まあまあってなだめられてね。仕方ないから、正午頃、登校して、2時間ぐらい教室でボーッと過ごしてるっていう感じでしたね。

「今まで何回か同せいしてきたけど失敗してます！」1986年11月

◉中学の時には、コメディアンになることを決めていた。クラスではけっこう恥ずかしがりやだった。(左・志村けん)

9

SHIMURA KEN

音楽が入ったほうが絶対に幅が出ると思って、コミック・バンドのドリフのほうに行ったんですよ

萩本さんが大好きだったんですよ。

高校を出てお笑いに入門するとき、コント55号かドリフか、どっちに行くか本当に迷ってね。

でも、音楽が好きだったから音楽を交えたものがやりたい、音楽が入ったほうが絶対に幅が出ると思って、コミック・バンドのドリフのほうに行ったんですよ。


「世代の笑いの育ての親　志村けんインタビュー」１９９７年３月

10
SHIMURA KEN

大きな声じゃ言えないけど、ボクが本当の意味で酒を飲み始めたのは、高校生の時でした

大きな声じゃ言えないけど、ボクが本当の意味で酒を飲み始めたのは、高校生の時でした。それまでは、子供の頃から、うちのおじいさんが飲み残した晩酌の酒をちょっと失敬しては、一～二杯チビリチビリ……というのはあったんですが、実際に飲んだのは、二歳違いのすぐ上の兄貴たち（三人兄弟）とアルバイトをして、その最終日に友達を家に呼んで飲んだのが、初めてでしたね。

あの当時はまだ、サントリーの「レッド」とかがあった頃でね。まだ高校生だからまずくて飲めなくて、コーラで割って飲んだりしたんだけど、その時突然、兄貴が、今で言う急性アルコール中毒になって、ぶっ倒れちゃったんですよ。（略）

それから、高校卒業直前でドリフターズの付き人になって、安い酒ばっかりをそこそこ飲むようになったんですが、あの頃はまだ二級酒で辛口の「剣菱」が好きだったなぁ。

11

SHIMURA KEN

笑いのセンスなんてものはたぶん、生まれ持ったものが80％以上占めるんじゃない

「オレの体、大丈夫かぁ〜!?　5回」２００１年２月

笑いのセンスなんてものはたぶん、生まれ持ったものが80％以上占めるんじゃないですかね。演出家が「お前こうしろ」と言ったことに従ってウケることもありますが、自分で作っていく笑いに関しては、持って生まれたものが大きい。

僕は酔っ払いのマネとか、あまり練習しなくても自然にできる。階段でコケたりする芝居っていうのは、見てると簡単そうなんだけど、やるとできないことが多いんですよ。

初めて仕事したのも酔っ払いのコントでした。僕は小学生の時からマネしてたけど、オヤジもじいさんもあまり飲まないし、特にモデルがいたわけじゃない。たぶん、テレビで酔っ払いを見ていたんでしょう。

「50歳直前に語ったオレのすべて」１９９９年３月

12

SHIMURA KEN

ガールフレンドもいました。話をしてるうちに、こたつのなかで足がふれ合ったもんだから、とりあえず、ということになっちゃって……

高校では、体育祭で応援団長をやったり、文化祭で3人組のコントやったり……。三波伸介さんのてんぷくトリオのまねをしたけどかなり受けたなァ。あのよろこびは、お金とか女には替えがたい！　とりあえずね（笑）。

ガールフレンドもいましたよ。妹がほしかったから、妹的な女の子とつきあってた。

高2のときだったかな、熱狂的に好きだったビートルズの宇宙中継があったときに、その女の子がうちにテレビを見にきたわけ。オレと一緒に見たいって。家族も午前2時まで起きてたけど、なかなか中継がはじまらないから、みんな先に寝ちゃって、ふたりだけになったわけ。やっと4時ごろになって中継がはじまったけど、2～3分で終わっちゃった。でも興奮したねえ。それで、話をしてるうちに、こたつのなかで足がふれ合ったもんだから、とりあえず、ということになっちゃって……（笑い）。

「青春を支えた女性との愛を語った！」1977年1月

13
SHIMURA KEN

その子と別れるっていうときは、おふくろのほうが泣いたよ。いい子なのにって

その子の家、アパートやってたんです。その子の部屋を何度か訪ねるうちに、いつしか住みついちゃってね。夜？　夜も自宅へは帰らない。（笑い）その子がうちへきて泊まることもしばしばでしたよ。ええ、一緒の部屋で寝ましたよ。

両親は放任主義なのかなア。ただひとこと〝子供だけはつくるなよ〟（笑い）でも、うちじゃ、女はおふくろだけでしょ。男たちはドカーンとすわってるばかりでおふくろがかわいそうだったんですよ。それで、女の子をよく呼んで、おふくろを手伝わせてたんだ。ふたりで一緒に食事のしたくをしたりしてくれていると、家の雰囲気が明るくなるんですよね。おふくろもよろこぶし……。

その子と別れるっていうときは、おふくろのほうが泣いたよ。いい子なのにって。明るい子で、よくコロコロ笑うような……それでいてよくつくすタイプで……わりと細身で顔はポチャポチャ……。

「青春を支えた女性との愛を語った!」1977年1月

14
SHIMURA KEN

僕はこうと決めると、絶対やらないと気がすまないタイプ。物事を決断する時、迷ったことはほとんどない

お笑いの仕事をするんだと決めて、都立久留米高校2年生の時、由利徹さんを訪ねました。由利さんにはすでにお弟子さんがいたので、弟子入りは断られたけど、進学校だったんで、とにかく大学に行ったほうがいいかどうか聞いたんです。そしたら「そんなとこ行ったら気が変わっちゃうぞ」と言われて、もう受験勉強はまったくしませんでした。

僕はこうと決めると、絶対やらないと気がすまないタイプ。物事を決断する時、迷ったことはほとんどないです。

当時は、お笑いの仕事をしようと思ったら、付き人になるか弟子入りするしかなかった。で、高校卒業を間近に控えた2月に、住所を調べて「ザ・ドリフターズ」のいかりや長介さんの自宅を訪ねたんです。

「50歳直前に語ったオレのすべて」1999年3月

15
SHIMURA KEN

大学進学の気持ちなんかこれっぽっちもなかったから、ドリフに入れたというだけで大満足でした

新宿なんか出たことなかったですからね。東村山（彼の生地）から西武新宿までは電車一本なんだけど、新宿駅（旧国鉄）は入ったことないです。こわくって。線路もホームも一杯あるでしょ、わからないですからね。

あの頃、まだ、都電が走っていて、万世橋行きに乗れば、長サンが当時住んでいた牛込の若松町に行けることは、地図で調べてわかってたんです。でも、切符をなんていって買っていいかわからないし、若松町で降りられる自信もなかったから、都電通りをずっと歩

◉都立久留米高校時代のクラス集合写真。中央黒のタートルを着た少年が志村けん。成績はよく、スポーツと音楽が好きだった。

いていったんです。30分くらいですかね。雪の日でしたよ……。

その頃、家のまわりなんか、バスが日に2回くらいしかとおらなくて、囲炉裏《いろり》があったり、東京都内と10年くらい世界が違う、まったくの田舎でしたからね。その生活がいま、役立っていますけどね。もう、都電通りの幅が100mくらいにみえて、渡るのがコワイのなんの（笑）。やっと長さんの家みつけたんだけど、仕事で留守で、そのまま、夜帰ってくるまで、玄関の前で待ってたんですよ。

10時過ぎに帰ってきたんで「弟子になりたい」って頼んだら「いま3人、ボーヤ（バンドの付き人の通称）がいるけど、一人やめるから1週間くらい待ってくれ」っていうんですよ。そしたら、1週間して、ほんとにむこうから電話がきたんです。「後楽園ホールへ来い」って。すぐ飛んでいったら「明日から東北の旅にでるから来い」「じゃ、明日、来ます」「バカ野郎、すぐ、支度して来い」ってどなられましたよ。それで、あっそうか、今日から働くんだなと、実感しましたけどね。

その日から、長さんの家の近くのアパートの一室で、ボーヤ3人の共同生活がはじまったんですよ。

初任給は5000円です。最初、1年間くらいは5000円でした。でも、中学生の頃からコメディアンになろうと決めていたし、高校は進学校の都立久留米高校だったけど、朝から化学実験用の白衣を着て、みんなを笑わせたり、応援団長になって、コント55号の真似をして校長先生にほめられたり、とにかく、人を笑わせることばっかりに夢中だったな。親の意向にさからって大学進学の気持ちなんかこれっぽっちもなかったから、ドリフに入れたというだけで大満足でしたね。

まあ、仕事は相当キツかったですよ。その頃、ドリフはまだテレビあんまりやってなくて、ACB《アシベ》なんかジャズ喫茶が多かった。アンプやドラムなんかの楽器運びですね、つらかったのは。ジャズ喫茶の階段って狭いでしょ。そこを、重たい物はみんないちばん新入りのボクが運ぶんですからね。そう決まっているんです。

「笑いの王様、おおいに語る 前編」1988年10月

＊　　＊

東北に行ったとき、初めて寝台車に乗ったんだけど、いざ寝ようとしたらベッドにはすでにギターが入ってる。で、ボウヤの先輩に「どこに寝ればいいんでしょうか?」って尋ねると、「アレ、お前、寝るつもりなの? 一晩中楽器を見張るんだよ」だもの。

やせる思いだって? とんでもない。逆に1週間で3キロ太ったよ。力仕事だから食わ

ないとやっていけないんだ。旅館ではお櫃を1人1個もらって、時間がないから味噌汁と卵ぶっかけてガーッと食ってたもん。

「志村けん　お笑い帝王の逆襲！ 2回」1998年1月

16
SHIMURA KEN

靴も買えなかったから、仲よくなったテレビ局の小道具さんからわらじをもらってずっと履いていたの

いかりやさんにはけっこう怒られましたよ。ドリフでは付き人1人の失敗は全員の失敗というのが決まり。楽器のセッティングが違ってたりすると、「全員並べ！」でゴツン。だけど、理不尽な殴り方はしなかった。殴るのもリーダーだけだったしね。

そのころは靴も買えなかったから、仲よくなったテレビ局の小道具さんからわらじをもらってずっと履いていたの。だけど、都内はアスファルトだから3日くらいしかもたない。すれるから藁がほどけちゃって、半分ぐらいは素足になっちゃうわけ。電車に乗ると周りの客が変な目で見るんだよね。でも、その反応がまたおもしろかった。

当時の住まいはいかりやさんの家のそばのアパート。付き人3人で住んでいたんだけど、困ったこともあったな。遅くなると銭湯にも行けない。だから夜帰ると3人で一目散に銭湯へ走るんだ。

「志村けん　お笑い帝王の逆襲！　2回」1998年1月

17
SHIMURA KEN

すごく怒っていたおやじだけど、晩年はおふくろのとりなしもあり、〝自分で選んだ道なんだから最後までやりとげろ〟と励ましてくれていた

去年の1月末の朝5時ごろ、いよいよおやじがあぶないという連絡があったんだけど、その日は三鷹公会堂でTVの公録があって抜けられない。何とかもう1日もってほしいと祈りながら、道みちに何度も病院に電話して病状を確かめた。三鷹の駅から電話したときはまだもっていた。公会堂に着いて電話したらいま死んだというんです。朝9時ごろでした。

ぼくが大学に行かずにバンド屋になったことをものすごく怒っていたおやじだけど、晩年はおふくろのとりなしもあり、「自分で選んだ道なんだから最後までやりとげろ」と励ましてくれていた。それだけに、せめてもう1年生きて、ドリフの1員としてのぼくを見てもらいたかったと思うんです。

「志村けんのやけっぱち放浪人生」1974年4月

＊　＊

一緒にドリフの付き人をやっていた先輩とコンビ組んでやろうというときに、その人が井山淳だから「淳と何とかでいこう」という話になった。俺、本名は康徳なんだけど、それでは長い。じゃあ親父の名前が「憲司」だから、「けんでどうだ?」って言ったんですよ。コンビ名は『チャーミング・コンビ』って付けたらえらく顰蹙《ひんしゅく》を買って、『マックボンボン』に変えた。「サインは『淳とけん』にしようぜ」って、別にサインする機会もないんだけどね（笑）。

それでドリフに入るときも「けんでいいや」ってそのまま。親父は、僕がコンビでやっているころに死んじゃいましたから、そんなこと全然知らなかったでしょう。

「初体験のBGMはビートルズ『愛こそすべて』」2003年1月

18

SHIMURA KEN

最初の同棲は付き人時代だった。まさに「神田川」の世界

最初の同棲は付き人時代だった。当時、付き人3人はいかりや長介さんのとこの近くのアパートで一緒に住んでいたんだけど、窮屈な生活でねぇ。それで、女の子に走ったわけ。

給料は最初5000円で源泉徴収引かれて4500円。そのうち1万5000円になったけど、70年ごろとはいえ、それでも暮らせなかった。なのに、新宿の成子坂ってとこに3畳で家賃6500円の部屋があって、そこで一緒に住んだんですよ。相手は16歳の女子高生。今だったら捕まっちゃうって。

2階の部屋なんだけど、3畳といっても、そのうちの半畳は陥没してて下の天井が見えるの。踏んじゃいけないから、近所でベニヤ板切ってもらって、それをあてがった。「この上に乗るべからず」なんて書いてたなぁ。ひどいアパートでねぇ、自分の靴を下駄箱に入れたら絶対に翌日にはない。まさに「神田川」の世界。

同棲は長くは続かなかったね。すぐにいかりや長介さんにバレてしまい、「単独行動す

るんじゃねぇ！」って、こっぴどく怒られて終わっちゃったよ。

「志村けん　お笑い帝王の逆襲！　3回」　1998年1月

＊　＊

あの唄じゃないけど、本当にもう共同便所、共同炊事場の世界ですよ。すぐそばに銭湯があって、二人で行くんだけど、毎日は入れない。

銭湯の前で出てくるのを待って、一緒に帰る。月1回、給料日だけは家の前のラーメン屋へ行って、ラーメンと餃子を2人前頼むの。

普段は共同炊事場で、鍋1個でインスタントラーメンをつくって、二人で鍋で食うんですよ。でも、鍋だからスープは飲めない、熱くて（笑）。そんな生活でした。

「初体験のBGMはビートルズ『愛こそすべて』」　2003年1月

19
SHIMURA KEN

どんなタイプっていって……あんまり覚えてないんですよね

月給5000円の頃、いよいよ金がなくなって、彼女、その頃、新宿の三越の呉服売場

◉高校生活最後の２月から、ドリフターズの付き人生活が始まった。「卒業式にはキチンと出ろよ」と言う加藤茶の約束を守って無事卒業した。

で働いていたんですよ。汚いジーパンにテレビ局の小道具で借りた草鞋《わらじ》はいて、金借りにいきましたよ。とてもエレベーターなんかに乗れない。階段をトボトボ昇ってね。呉服売場ってたいてい、5、6階にあって、シーンとしているでしょ。彼女と視線があったら〝シーッ、シーッシッ〟って（手で追い払う仕草）。でも裏の〝白十字〟っていう喫茶店で待っていて、金貸してもらいました。どんなタイプっていって……あんまり覚えてないいんですよね（笑）。ボク、女性の好みがバラバラで、バラエティに富んでるもんだから、一人一人の印象がうすいのかなあ。

「笑いの王様、おおいに語る 前編」1988年10月

20
SHIMURA KEN

「寝てないの？ 番してあげるから、私たちのところで寝なさいよ」後の〝じゅんとネネ〟ですよ

バンドボーイとしての屈辱感については、まあ、ね。新幹線の1分間停車なんていうと、20何個の楽器や荷物を大急ぎで運び出さなきゃならない。メンバーは手伝いませんからね。

その時はヘトヘトでしたよ。
いちばん面白かったのは寝台車に乗ることになった時ですね。うれしくてね、憧れてましたから。乗り込んだら、上、中、下と3段あって、オレ、いちばん上だっていうんですよ。でも、行ってみたら、そこにアンプとか一杯つまっていて〝アレ、オレここですか〟ってきいたら〝寝るのか、お前〟っていうわけ。〝バカ野郎、お前、アンプなんかを見てるんだよ〟。つまり、通路から乗降口のステップまで積み上げられた楽器類の見張り番ですよ。（略）
その時、〝畜生、いまにみていろオレだって……〟っていう気持ち、ありましたよ。車内の温気で白くなったガラスに〝バカヤロー〟ってかいたり、好きな女の子の名前を書いたり、消したり……口惜しかったですね。涙、出ましたよ。
荷物にもたれて、窓の外を睨みつけていたら、その頃、ドリフの前座に〝クッキーズ〟っていう女の子いたんですが「寝てないの？　番してあげるから、私たちのところで寝なさいよ」っていってくれたんです。次の駅に着くまでほんの10分あまり寝かせてもらったですよ。ベッドにこもった若い女の子の香りとぬくもりとともに、彼女たちのやさしさをいまでも覚えてますよ。感謝してますね。後《のち》の〝じゅんとネネ〟ですよ。評判いい子でしたよ。売れるちょっと前でしたけどね……。

「笑いの王様、おおいに語る 前編」1988年10月

＊　＊

当時のドリフって「ワーワー」騒がれるほど人気があったわけじゃなくてね。テレビも1本しかやってなくて、まだまだ地方巡業が多かったですから。で、メンバーの食事だって、いたって粗末なもんで、地方に行くと決まって楽屋にラーメンをとったんですよ。僕ら付き人は、ラーメン食べるカネもなかったから、ただの白いご飯をとって、メンバーの残したラーメンの汁で食ってたんですけどね。

僕は加藤さんの付き人だったんですけど、よっぽどうまいラーメンだったんだろうな。汁まで残さず食べちゃったんですよ。それを見て、怒ったことがあるんです。「加藤さん、このライスの立場はどうなるんですか!」って(笑)。いまでも、たまに加藤さんが言いますもん。「あんとき、志村、怒ったよな」って。

「バカ殿インタビュー　志村けん」1999年3月

21
SHIMURA KEN

一時期、ドリフをやめたんです。だから、いまでも、その時、ボクはトンズラしたことになっているんですよ

ボーヤを1年半やりましたね。ボクは最初、3年間やろうと思ってたのね。3年やれば、だいたい自分のことがわかると思っていたからね。ところが、仲間たちの話聞いてみると、みんなボーヤになる前に、コツコツ見習いとか、いろいろ人生体験を積んできてるんですね。ボクは高校出てポッとでしょ。が然、不安になりましたね、もっと、世間を知らなきゃいけないと思ってね。

それで、長さんには「ダメだ!!」ってどなられたけど、一時期、ドリフをやめたんです。だから、いまでも、その時、ボクはトンズラしたことになっているんですよ。

「笑いの王様、おおいに語る 前編」1988年10月

＊　＊

そして約1年、放浪しました。

スナックのバーテン、ゴルフ場のキャディー、町工場……。

その放浪生活のなかで、ある女性とめぐりあう。

スナックのバーテンをやってたころ、高校生の女の子と親しくなったんです。どうもぼくは少女趣味があって、ぬいぐるみを抱いて寝るような女の子が好きなんですね。

その子、反抗してて、ちょっときつい感じの……家出してきた感じで、同じ反抗人間同士で気があったんじゃないかな。ぼくが21才、彼女が17才だったな。


「青春を支えた女性との愛を語った!」1977年1月

22

SHIMURA KEN

いかりやさんも、2度も弟子入りしようとするやつは「よくよく好きなんだろう」と戻るのを認めてくれた

1年たったので、約束通り戻ろうとしたら、「志村は逃げた」ってことになってた。僕は納得がいかなかったので、結局いかりやさんのところへは行かなかった。

かわいがってもらっていた加藤さんのとこへ行って、「お願いします」と頼んだら、加

◉荒井注の後釜として入ったドリフターズ。荒井注の存在があまりにも大きく、認知されるまで時間がかかった。

藤さんが「またこいつがやるから」ってみんなに言ってくれた。
いかりやさんも、「最初に弟子入りしてくる人間もこの世界が好きなんだろうが、2度も弟子入りしようとするやつはよくよく好きなんだろう」と戻るのを認めてくれた。

「変なおじさん（完全版）」2002年10月

＊　＊

ドリフのところに戻って、月給も1万5000円になったし、相棒と組んでコンビをつくり、ドリフや〝小柳ルミ子ショー〟の前座もやらせてもらえるようになりました。そのコントを全部自分で書いていたのが、いまの土台になっていますね。10分という長いものも書きましたからね。もっともある時、ワイヤレスがなくてセンター・マイク一本だけでやったんです。ボク、激しく動きまわるでしょ。マイクに入らないと思うから、目茶苦茶にどなりまくったんです。そしたら、1分くらいで喉がカラカラ。声が出なくなっちゃって、ヒーッ、ヒーッ（笑）。

「笑いの王様、おおいに語る　前編」1988年10月

第二章

ザ・ドリフターズ

天命と知る

23
SHIMURA KEN

後にも先にも印象に残っているいかりやさんの言葉は、「いいか志村、カネのことはいうな」

楽器運びや衣装の支度から食事の準備までする付き人生活。だが、7年後、見習い期間の最初のとき、いかりやさんとふたりでハンバーグステーキを食べているときだった。「荒井注がやめるから、今度はお前が入ることになる。いいか?」ってね。19歳も年上のいかりやさんが俺の前で真剣に話している。それを聞きながら、「志村、食え」っていうもんだから食べようとすると、「それからな、志村……」って、また話が始まるから、ずっと食べられなくて(笑い)。できるのかなぁ、という気持ちもあったけど、「なんとかしてやる」という気持ちのほうが大きかった。

後にも先にも印象に残っているいかりやさんの言葉は、そのときにいわれた「いいか志村、カネのことはいうな」だったね(笑い)。

「志村けん『バカ殿様』22周年記念 独占インタビュー」2008年10月

24

SHIMURA KEN

すごい葛藤がありましたよ。「待ってました」なんていう、そんなのなかった

もともと、ドリフに入ることはぜんぜん考えていなかったんです。ドリフは5人のメンバーでかっちりかたまったものだしね。あそこで勉強させてもらって、仕事は独立して、別個にやりたいと思ってました。ドリフに対抗し、それを超えるものを作りたかったんですよ。

コメディアンは自信家でなきゃできないんじゃないですか。自信が揺らいだら、人を笑わせることなんかできないと思いますね。

〝へえ、オレがメンバーになるんですか!?〟という驚きというか……オレがメンバーになったら、オレ自身が変わっちゃうかもしれない。駄目になるかもしれない。そういうすごい葛藤がありましたよ。「待ってました」なんていう、そんなのなかったですよ。

「笑いの王様、おおいに語る 前編」1988年10月

最初の1年半くらいはしんどかったですよ。こっちが何か違ったことをやろうと思っても、やはり荒井注さんの替わりっていう見方されるし。まず、何やっても一生懸命やればやるほど笑わないんですよね。肩に力が入ってて、一生懸命やるのが、体の中だけでね、ちっとも表に出てこないんです。その頃のビデオ、今見ると、びっくりするんですが、僕はこーうやってるつもりが、これくらいしかやってないって感じなんです。

けどある時期になって、内心では必死にやりながら、表は遊んでいるようにみせる、その辺がわかってきたんです。ウケ始めて。

＊　＊

わりと遊び半分にみせた方がいい。あいつ遊んで金もらってる、と思われた方がいい。あいつら本当におかしいんじゃないかと思われた方がいいんです。

東村山音頭かな。あれがなければ、まだギシギシやっているかもしれないし、クビになってたかもしれない。

「志・村・け・んって、体のほとんどが胴みたい。」１９８０年９月

25

SHIMURA KEN

迷いましたよ。自分が萎縮してダメになっちゃうんじゃないかと

いやあ、1年ぐらいは手も足も出なかったですね。一生懸命やればやるほど、オレが出るまで、お客みんな身を乗り出してみていたのが、オレが出たとたん、シーンとなる……それが、わかるのよ、自分で。なにをやってもウケない。自分がナニものだかわからない。だから、とんねるずの木梨なんか昔、公開をみにきて「なんだ、つまんないよ、あの髪の長いやつ」っていったっていうの。文京（公会堂）かな……。とにかく、注サンのイメージ強かったですからね。悲惨でしたよ。

新潟だったかな。みんなで、それぞれ故郷《くに》の歌をうたおうということになって、ボクは『東村山音頭』をやったら、ボーンとうけたんです。反響もすごかった。それからですよ、ボクがウケはじめたのは……。

「笑いの王様、大いに語る 後編」1988年11月

26
SHIMURA KEN

売れるまでいろいろあったんだけど、その間、女の子も何人か代わっていたなぁ

稽古中、いかりやさんから「おい、田舎者」ってよく言われてたの。ボクはいちおう東京だったけど、言うほうはもっと田舎でしょ。で、反発心から、やたら「♬東村や〜ま」って歌ってた。そしたら、いかりやさんが「お前、それおもしれえよ。やれやれ」って。まさかはやるとは思わなかったな。あれはギャグじゃなくてはやりもの。そのあとヒットした「ヒゲダンス」だって、毎週やろうなんて思っていなかったんですよね。

そういえば、ヒゲダンスを一緒に踊った加藤さんが、「志村がいて助かったよ」って言うの。当時は加藤さんは低迷してた時期で、このネタがハマって、一息つけた。そういう意味では、「あとから入ってきたくせに、いいとこ取って」みたいなライバル意識はなかったね。こうして売れるまでいろいろあったんだけど、その間、女の子も何人か代わっていたなぁ。

◉ドリフでは、ボスいかりや長介は絶対的存在で、怖かった。陰日向に志村をかばったのは加藤茶だった。

27
SHIMURA KEN

アイデアが出る人と出ない人といますから、出る人は出ない人のことを考える

「志村けん　お笑い帝王の逆襲！ 2回」1998年1月

「全員集合」の後半のコントは仲本さんと加藤さんと俺なんかで、これしようか、あれしようかって作ってくんですよね。前半のコントはいかりやさんが主導権を握ってるから、ああ座れって言って、今回はこういうことをやろうかと。今回は例えば忍者。おのおので忍者の登場どうしようかと考える。「俺は登場こうする」「俺はこう」「じゃあこうする」っていう。アイデアが出る人と出ない人といますから、出る人は出ない人のことを考える。「俺こうするからさ」って言うと、「それ、一番大きいな。じゃあ志村、一番最後かな」となると、今度はその前を考えるわけですね。

僕が入った当初は、ずっと加藤さんが一番最後に出てくるんだよね。僕らがその前ですから。だんだん、あいつ面白いなとなってくると、上がってくるんです。

ウケる順番だから。ここが一番どんとウケなきゃいけないのに、前でどかんとウケちゃったら、次はもっと上のことをやらなきゃいけない。そういう順番になってるから。

「志村けん『ドリフとバカ殿の真実』」２００３年７月

＊　＊

転ぶワザだって、いくらやってもできない人は、ず〜っとできないからねぇ。転ぶ時は、わざと自分で自分の足を引っ掛けて転ぶ場合もあるし、ちょっと段がある時は、段差にこま先をドン！　とぶつけて転ぶワザもある。でもこういうのは、別に習ったわけじゃねぇからなぁ〜。

時代劇では、歌舞伎で使う所作台をよく使ったね。あれはものすごく高価で、決して土足なんかでは歩けない代物なんだけど、とにかくよく滑って、なおかつバ〜ン！　ってスゴイ音がするんですよ。

たとえば、忠臣蔵の「松の廊下」で、加藤（茶）さんが長袴を引きずってツツ〜と廊下を歩いていると、後ろから袴を引っ張られて、バタ〜ンとひっくりかえるシーンがあるんだけど、そういう時にもすごく効果的な音が出る。

「オレの体、大丈夫かぁ〜!?　16回」２００２年１月

28

SHIMURA KEN

子どもは子ども扱いされるのがいちばん嫌いなんだ

子どもは子ども扱いされるのがいちばん嫌いなんだ。だから全員集合は子どもに媚びた笑いはひとつもないんだ。

「30代ビジネスマンの羅針盤　志村けん」２００５年４月

＊　＊

子供用にはやってないですね。自分達が面白いと思うことをやってるだけなんだけど。基本は、自分達が発想して面白いと思うことしかやってないんだよね、ドリフも僕も。

やってる方、俺と加藤さんなんかからすると、いかりやさんは親父だから、社長だから、社長の足すくっちゃ逃げるというのが気持ちいいんですね。会社ってとにかくリーダーは威張っているじゃないですか。

そういうのを覆す気持ちがあるんです。

見てる方も、怒られる、逃げるというのが気持ちいいんだよね。子供の時って、いたずら好きだからね。やっちゃいけないことを、やりたくなるでしょう。「全員集合」の時なんかは見てる子供も、やっちゃいけないことを俺達がやってるのを知ってるんだよね。代がわりしてやってるみたいなもんだから。

「志村けん『ドリフとバカ殿の真実』」２００３年７月

＊　＊

南原なんかも二年ぐらい前に、「志村さん、俺達なんで子供にウケないんだろう、何で流行らないんだろう」って。俺達は、昔から流行らせようと思ってやったこと、一回もないのね。ヒゲダンスにしろ何にしろ、一週で終わると思ってやってる。それが反応がいいからもう一回やってみようか、あれ？　行けるなってやって。

常にお客さんと生でやってて、それで一年半とか二年とかやってるわけね。流行らせようと思ったら、絶対流行んない。

「志村けん『ドリフとバカ殿の真実』」２００３年７月

29

SHIMURA KEN

ドン！ といったら手で顔を押さえ「イテェ～！」ってやると、ドッと笑いがくる！ 危なくて仕様がない。右ひじの軟骨が潰れて、水が溜まったことあるからなぁ～

そういえば、「全員集合」の頃は、みんなでいろんな仕掛けを考えたなぁ～。椅子とか壁が壊れる瞬間、バリバリ～ッ！ とスゴイ音が出るように、模型飛行機に使う薄い板、〝バルサ〟を使ったのも、確かオレたちが最初だったと思う。昔は発泡スチロールを使っていたけど、それだと表面は茶色く塗ってあっても、壊れたときに白い粉が飛び散るから、シラケちゃう。だから、なるべくリアルにしようっていうんで、椅子の脚は本物の木材を使って、座る部分と背もたれをバルサにしたんですよ。

それと、壁にぶつかった瞬間、スゴイ音が出るように、ぶつかる部分だけをトタン板にしたりね。当たった時の音がスゴイと、本当にぶつかったように見えるから。

壁のぶつかり方にもコツがあるんですよ。まともに顔をぶつけるワケにはいかねぇから、

◉1976年（昭和51）『全員集合』の舞台で初披露した『東村山音頭』が大ヒット。
地元東村山市が、一躍全国区になった。
当時の東村山市熊木市長から感謝状が送られる。

ぶつかるギリギリのところで、客席から見えない反対側の腕と手のひら、つま先をぶつけて音を出すんですよ。

それと、そこで笑いをとるには、リアクションも大事。ド〜ン！　といったらすかさず、手で顔を押さえ「イテェ〜！」ってやると、ドッと笑いがくる！

でもこれは、普通の人にはマネできないだろうなぁ〜。やっても危なくて仕様がない。オレたちだって、そこそこ痛い時があるもの。そのおかげで昔、右ひじの軟骨が潰れて、水が溜まったことあるからなぁ〜。今でも痕残ってる。

「オレの体、大丈夫かぁ〜!? 16回」２００２年１月

＊　＊

スタジオで、水槽を使うことを考えたのもドリフだったたね。最初は薄い鉄板を使って小さい水槽で試してみて、徐々に大きくしていったんだけど、人が池ン中に落ちるシーンでは、何トンという水を使って、腰までつかるわけだから。一朝一夕じゃとてもできなかった。

それだけじゃなくて、〝上から水が落ちてくる〟っていうのも、昔「全員集合」で考えたもの。最初はバケツでやったんだけど、バケツだと、水がス〜ッと放物線を描いちゃっ

て、下手すると頭の上に落ちてこないんですよ。

で、試行錯誤の上、風船に水を入れて、それを吊るして針で刺したの。そうしたら、水はストレートに落ちてくるんだけど、針じゃ割れない時があってさ。今度は、棒にカッターナイフを付けて割ることにしたんだけど、それでも修羅場！　があったもんね。

生放送だっていうのに、一番最後にパ～ン！　と水を落とすところで、水がこないという……。

そうやって、失敗して失敗して、「さあ、やっと出来たぞ」って思ったら、そのあと、とんねるずとかが平気で使っちゃって、「そりゃ、ねぇぜ！」みたいなね。

こんなものに別に特許があるわけじゃないから、今はもうどうでもイイんだけど、水槽なんか、ただ単に「落ちるだけ」とかで使われちゃうとなぁ～。オレたちのコントは、人が池（水槽）に落ちるまでの理由付けとか、プロセスを、丁寧に作り込んでいるから。

今じゃバルサも水槽も、いろんなバラエティ番組で使われているけど、最近の若いお笑い連中は、そんなこと知らねぇだろうなぁ～。

「オレの体、大丈夫かぁ～!?　16回」２００２年１月

30
SHIMURA KEN

あの人は昔から厳しくて、完璧主義者でね、オレにとってはオヤジと同じくらい怖い存在

オレたちの親分、いかりや（長介）さんは今年七〇歳。ここ数年、役者としてどんどん渋みを増して、ビールのCMでカッコ良くベースを弾いたり、自伝の『ダメだこりゃ』（新潮社）を出したりして、若い人たちからの支持が高まっているそうだけど、あの人は昔から厳しくて、完璧主義者でね、オレにとってはオヤジと同じくらい怖い存在なんですよ。

「8時だョ！全員集合」の時も、みんなが、「リハーサルはもうこの辺でいいだろう」って言うのになかなかやめなかったしね。それに、付き人の一人がミスしたら全体責任で、

「そこに正座しろ！」

って怒鳴られて、ゲンコツでガンガン殴られましたよ。

でもね、オレが普段、いかりやをもじって「おい、下がりゃ！」ってやっても、そうい

うのは全然平気なの。面白いことをやる分には、全然怒られないいんですよ。

ところで、いかりやさんといえば、どうしても忘れられない思い出が一つ。

昔、仕事で草津温泉に行った時のこと、いかりやさんは当時、痔の手術をしたばっかりでね。仕事が終わると、オレを呼びつけて、

「おい、志村！　ケツに薬塗れ！」

って言うわけですよ。それで、座敷で四つん這いになっているいかりやさんの肛門に、ガーゼに薬を染み込ませて、割り箸で挟んで塗るんだけど……。

それがまた、なんともねぇ。手術したばっかりだから、まだ肛門がパクッ！　と開いているわけですよ。で、そこにチョンチョンチョンチョンと薬を塗って、そのあとメシだもの……。なに食っても、いかりやさんのおケツの穴がチラついちゃってせっかくの料理がまずい、まずい。三日間それやらされたんだけど、あんなもん見るもんじゃないね。いかりやさん、最近痔の具合どうなんだろ!?


「オレの体、大丈夫かぁ～!?　18回」２００２年３月

31
SHIMURA KEN

寝ているいかりや長介さんの頭を誰がスリッパで殴ってくるか、なんて恐ろしい肝試し

メンバーとお酒を飲んでいるとき、寝ているいかりや長介さんの頭を誰がスリッパで殴ってくるか、なんて恐ろしい肝試しを考えるわけですよ。やりましたよ、僕が（笑）。いかりやさんの反応ですか？　みんなが大笑いして喜んでいるんだから、怒れない。

一緒に笑うしかないですよね。

「旅の途中　志村けん　生涯、お笑い職人」２０１６年７月

32
SHIMURA KEN

仲本さんのスゴイところは、コントやっても何色にでも染まるということ

仲本（工事）さんは今年、六一歳になるんじゃないですか？　あの人は「全員集合」の時に、体操が上手いというイメージが定着して、ゲストやオレたちと一緒にマット運動、跳び箱なんかをやったんだけど、仲本さんがやると「おっ！」と思うんだよね。

あの人、体育大出身でもなんでもなく、学習院出なんだけど……。あと、仲本さんのスゴイところは、コントやっても何色にでも染まるということ。「こんな感じでやってください」と言われれば、その通りにやるし、コントの最中に変なことをしたり、ワーワー邪魔したりなんてことは絶対にしないですからね。だからものすごく絡み易くて、どんな役でも預け易い人、なんですよ。

「オレの体、大丈夫かぁ〜!?　18回」２００２年３月

33

SHIMURA KEN

「ドリフターズの原点に戻って楽器やらないか」って話になったことがあった。結局、メンバーどうしのケンカが始まっちゃってね。大失敗でしたよ

いつだったか、ドリフのメンバーの間で「ドリフターズの原点に戻って楽器やらないか」って話になったことがあったの。そのとき僕はいかりやさんにソウルのレコードを聴かせて、

「こんな音楽にしたいんです」

って言った。いかりやさんもあんな顔だから、アフリカの虫がうずいたのか、

「よし、ソウルをやろう」

ということになってね。で、

「その代わり、僕はキーボードじゃなくてリズムギターですよ」

こう約束をしてもらって、山中湖にある渡辺プロの別荘で練習することになったんだけ

ど、これがもうムチャクチャ。

だって、いかりや長介さんはカントリーだし、高木ブーさんはハワイアン、仲本工事さんはロカビリー、そして加藤茶さんはフルバンドのジャズの出身でしょ。サウンドはバラバラなんですよ。

いかりやさんが、

「加藤、もっと志村のリズムに合わせてアフタービートしないか！」

と、どなったら、加藤さんも負けずに、

「じゃ、あんた、やってみろよ！」

ってやり返す。結局、メンバーどうしのケンカが始まっちゃってね。大失敗でしたよ（笑）。


「志村けん　お笑い帝王の逆襲！　４・最終回」１９９８年１月

34
SHIMURA KEN

怖いのは高木（ブー）さんだなぁ〜。高木さん寝すぎてボケないようにしてもらいたいやねぇ

怖いのは高木（ブー）さんだなぁ〜。これも「全員集合」の話だけど、探検隊のコントで、隊員が縄に掴まって次々と谷渡りをして、最後に加藤（茶）さんだけがオレたちと違うゴムの綱に掴まって、「ウワ〜ッ！」と谷に落ちてワニに食われちまう！という段取りだったのに、それを高木さんが先にやっちゃったもんだから、最後のオチが無くなっちゃってね。

困っちゃった加藤さん、仕方なく同じことをやったら、ぜ〜んぜんウケねぇ、ウケねぇ。おまけに高木さん、ステージに出たら、滅多にしゃべんないから、いかりやさんによく、「お前が一番セリフ単価が高いんだぞ！」って言われてた。それに、どこでもよく寝るしねぇ。

オレがまだドリフの付き人やってた頃、朝、楽屋でお茶入れて、

◉『全員集合』は志村と加藤茶の両輪をはじめ、いかりや長介のリーダーシップと高木ブー、仲本工事が脇を固め、国民的人気番組になっていった。

「高木さん、お茶です！」

って、湯呑みをテーブルに置いたら「あ、ああ……」って言いながら、相変わらずちょっとウトウトしてててね。それでもお茶飲みそうだったたんで、

「大丈夫かなぁ？」と思って見てたら、案の定、湯呑みを口元に持っていくまでにグ～ッと寝ちゃって、「あッちィ～！」って。そのぐらい、寝るの早いんですよ。で、イビキもまるで、地鳴りみたいにスゴイ！

「オレの体、大丈夫かぁ～!? 18回」２００２年３月

＊　＊

オレがドリフに入った当時は、地方に行くと、いかりやさんだけが個室でね。あとは二人ずつの相部屋なんですよ。

でも、加藤さんも仲本さんも、高木さんのイビキを敬遠しちゃって、結局オレが一番若いからすぐ眠れるということで、高木さんと同じ部屋になったんですよ。

で、寝る前に酒飲んでおけばグッと眠れると思って、寝床の脇でチビリチビリやっていたら、テレビを見ていた高木さんが、「おい、志村、先に寝ろよ！　オレ、イビキうるさいから」って気ィ遣ってくれてね。「ああ、スイマセンね。じゃ、お先に……」って言っ

て布団に入ったら、その瞬間、もの凄い地鳴りがゴオ〜ッ！　って。

「おい、たったいまオレに、先に寝ろって言っただろ〜！」

そいで、寝ちゃったんならテレビ消すぞ！　と思って、そ〜っとスイッチを切ったら、

「まだ、見てんだよぉ〜」って。

「見てるワケねぇじゃないか！」

あの人、そういう変わった人なんです。


「オレの体、大丈夫かぁ〜!?　18回」２００２年３月

＊　＊

痴呆といえば、ドリフターズのメンバーももういい歳だからなぁ〜。あと十年もしたらボケる人が出てくるかもしれない。

とくに高木（ブー）さんなんて危ないね。先月も、高木さんはどこでもよく寝るって話をしたけど、この間珍しく二人で「ダウンタウンＤＸ」（日本テレビ系）に出たら、

「自宅でマイカーの車庫入れをして、そのままずーっと車ん中で寝ちゃったんだよね」

って。「なんで?」って聞いたら、「だって、音楽（ハワイアン）聴いていると眠くなるんだもん！」って。怖いやねぇ〜。

そういえば昔、運転中に赤信号で停止して、青に変わるまでにグ～ッと寝ちゃって、後続のバスに追突された！　なんてこともあったらしいですよ。

ドリフターズが営業で北海道に行ったときも、帯広空港に到着したら、高木さんだけが見当たらなくてね。「オイ、高木がいないぞ！」「高木さんどこいった？」って大騒ぎになって、スタッフが慌てて調べたら、あの人だけまだ羽田にいたって。

あのときも確か待合室で寝ちゃって、置いてけぼりにされたんじゃなかったっけなぁ～。

（略）高木さん、今年もう六九歳だからなぁ～。寝すぎてボケないようにしてもらいたいやねぇ。

「オレの体、大丈夫かぁ～!?　スペシャル」２００２年４月

35 SHIMURA KEN

ＴＢＳにすごい電話が殺到しちゃった。「うちの子供が寝ない。どうすんだっ」って

ドリフのいいところは、リーダーのいかりやさんがきちっとまとめているんだけれども、

各メンバーのアイデアを積極的に取り入れる柔軟性や自由な雰囲気があったことですね。「面白そうじゃん、やってみよう」みたいなノリで、僕みたいな若造の意見もずいぶん取り入れてくれました。「カラスの勝手でしょ」っていうギャグも、偶然の産物。リハーサルをやっていた赤坂のTBSの近所で子供が歌っていたんです。あんまりくだらないから、面白いなあって思って（笑）。あれも一年半くらいやりましたね。自分で飽きて、「もうあれ、やめていいかなあ」って言ったら、「ああ、いいよ」って。で、やめたその週にTBSにすごい電話が殺到しちゃった。「うちの子供が寝ない。どうすんだっ」って（笑）。

「芸能生活40周年　志村けんが初めて語った」２０１２年10月

36

SHIMURA KEN

16年続いた『全員集合』が終わったときも、あっけなかったというか、「えっ、これで終わり？」っていう感じでした

16年続いた『全員集合』が終わったときも、あっけなかったというか、「えっ、これで

終わり?」っていう感じでしたよ。途中からメンバーとなった24歳から、34歳までの10年間、毎週毎週、舞台で「ああでもない、こうでもない」と葛藤してきた番組ですから。
木曜日までに台本作りをして、金曜日がリハーサル、そして土曜が本番と、毎週ですよ。後ろを振り返る余裕もなく、時間に追われるまま、ただただ無我夢中で走っていたという感覚です。いまそれを「やれ」と言われても、絶対できないでしょうね。

「コント一筋! コメディアンインタビュー」2014年8月

37
SHIMURA KEN

30代というのは僕にとっての正念場だったのかもしれないですね

翌年から『加トちゃんケンちゃんごきげんテレビ』と『志村けんのバカ殿さま』がはじまったのかな。ドリフの一員というタガが外れた分、自由さはありましたけど、今度は自分で舵《かじ》を取らなきゃいけないわけでしょう。『全員集合』が終わってから「つまらなくなった」といわれたら、それこそ命取りですから、プレッシャーを感じながらも結構、燃えていましたね。そういう意味でも、『全員集合』という大きな山を越し、逆風の中、深い谷間から次の自分の山を求めていった30代というのは僕にとっての正念場だったのかもしれないですね。

「走り続けた『全員集合』が終わったのが34歳のとき。」２００４年11月

38
SHIMURA KEN

オレがもうちょっと歳をとったら、加藤さんにどうしても言いたいと思っていることが一つあるんです

加藤（茶）さんとは年齢が近いということもあって、いまでもオレたち兄弟みたいに仲がいいんですよ。付き人の頃は加藤さん専門についていて、家に居候させてもらっていたこともあるしね。

あの頃はメシ、よくおごってもらったっけなぁ〜。加藤さんもバンドボーイの経験があって、食えない時代があったから、オレたち付き人にはホントに優しかったんですよ。

それに、仕事さえきちんとやっていれば、加藤さんの前で冗談言っても、ふざけてもぜ

んぜん怒られなかったですからね。よく、落語家さんの弟子は、「師匠の前では冗談も言えない」なんて言うけど、そんなんじゃ無かった。

そのかわり、衣装の早替わりするときはオレが付いていれば絶対に失敗はなかったし、怒られたことなんてなかったですね。

二人でナンパしに行ったコトもあったっけな。あの人は顔が知られているから、黙っていても女のコが寄ってくるんですよ。それがちょっと羨ましくてね。

加藤さんに頼まれて、女優さんにラブレターを届けに行ったこともあった。

でもあの人は、ああ見えても割と一途な人だから、あの頃も、お相手は一人だけだったですよ。で、オレがドリフターズに入って、「全員集合」で初めて加藤さんとコンビを組んだのが、あのヒゲダンスだったんですよ。あれは、当時オレが聴いていた曲をバックに使って、加藤さんと相談しながら動きをつけていったんだけど、大ウケでね。そのとき加藤さんがオレに、ひとこと、こう言ったんですよ。

「志村、お前がいてくれて良かった」

って。加藤さんはオレの意見には真剣に耳を傾けてくれたし、オレに対してギスギスしたライバル意識を燃やすなんてことなど一度もなかった。どこまでいっても懐の大きなイ

◉志村は生涯を通し加藤茶を兄のように慕った。「志村ほどの勉強家は他にいなかった」加藤茶の言葉である。

イ人なんですよ。
オレがもうちょっと歳をとったら、加藤さんにどうしても言いたいと思っていることが一つあるんです。それは、「オレがこの道を歩んでこれたのは、あなたがいたから……」って。えっ、いま?! いまはまだ照れ臭くて言えねぇよ！

「オレの体、大丈夫かぁ〜!? スペシャル」２００２年４月

第三章

愛しのキャラ

すべて子供から学んだ

39

SHIMURA KEN

3つ好きなキャラクターがあるんだよね

コントでいろんなキャラをやってきたけど、3つ好きなキャラクターがあるんだよね。ひとつは〝変なおじさん〟で、あとは〝ひとみおばあさん〟と〝バカ殿様〟。3つのどれも好きなんだけど、バカ殿がいちばん長くやっているし、何をやっても許される。笑わせ方もいろいろ考えて工夫もできる。自分そのままのキャラだからね。

「志村けん『バカ殿様』22周年記念　独占インタビュー」2008年10月

*　*

「バカ殿様」は、もう誕生して30年になります。誕生のきっかけは、『8時だョ!全員集合』です。当時、番組にゲストを迎えるときは、必ず「志村、お前が相手をやれ」みたいな役割になっていて。そこで新人の女性タレント相手に、いったい何をすればいいんだろうと考えたときに、バカ殿と家老がいて、ゲストの女の子に年齢を聞いたりしてゲストを紹介するという方法を思いついたんです。それがやがて一本立ちして、気がついたら30年。

いやぁ、長生きしていますねぇ。あのメイクは、「高貴な人だからとりあえず白く塗っておこう」ぐらいで、そう深く考えたわけじゃないんです。眉の幅は、化粧するときのスティックの幅ですし。まさかこんなに続くとは思っていなかったので、けっこういい加減に作ったんですよ。

「恋と仕事の両立はむずかしい」２００６年３月

40
SHIMURA KEN

撮影がハードなぶん、お色気シーンでくつろぐのは趣味でやってるよ。ウソだってば

バカ殿の原点は昔殿様がカゴに乗ってるとき、どうやってオシッコするのかなぁって疑問を持ったわけ。実は竹の筒をさしこむんだけど、それをギャグにしたのがキッカケかな。竹筒が合わなかったりして。それにしても殿様の衣装って熱いんだ。汗で白粉が落ちちゃうと悲惨そのもの。水に入ったりとハデなシーンも多いから、カツラも消耗品。毎回、6つぐらい用意してる。

撮影がハードなぶん、お色気シーンでくつろぐのは趣味でやってるよ。ウソだってば。ホントはスタッフに気をつかってるのさ、ナーンテネ。

「志村の十八番　ギャグの嵐に笑い死にを覚悟」１９８７年11月

＊　　＊

まゆ毛がめちゃくちゃ太かったり、化粧が薄かったり濃かったり。でも始めたころはこんなに長く続くと思ってなかったからね。メイクも簡単なのにしときゃよかったといつも思うんです。白く塗るのに何時間もかかるし、口紅が落ちるからものも食えないし、結構大変なんですよ。

ビデオの構成も手がけました。よくコント傑作選といって、順番も何も考えずに面白いものをダーッと並べちゃうのがあるけど、それだとひとつひとつのコントは面白くても、全体を通して見ると起伏がなくてつまらなくなることがあるんです。番組の構成もそうですが、コントは並べる順番がすごく大事ですから。

「志村けん　お笑いバカ大逆襲宣言　後編」１９９８年９月

41
SHIMURA KEN

とりあえず殿だったらいいやって、顔を真っ白く塗って、眉毛をかく。あれ、相当雑でしょ？

「バカ殿」は結構前から、「ドリフ大爆笑」の頃から、ずーっとやっていますが、あのヴィジュアルも、結構テキトーです（笑）。最初からそんなに長くやるつもりもなかったし。とりあえず殿だったらいいやって、顔を真っ白く塗って、眉毛をかく。あれ、相当雑でしょ？（笑）こんなもんか、ってノリで、なんとなくおちょぼ口に口紅つけただけなんですよね。ちょんまげも殿様の頭って言ったら、アレだろうみたいな（笑）。続くと思ってなかったけど、世間の反響があったから、こんなに続いているんでしょうね。ずーっとやってますもんね、あれ。本当にありがたいことです（笑）。

「芸能生活40周年　志村けんが初めて語った」２０１２年10月

＊　　＊

バカ殿様のメークは2分かからないくらいで。全部自分でやりますから。フフフ……。

よくやってたよね、あんな顔して。本番の最中は顔さわれないし、カユくても掻《か》けないし。つまようじとかで、掻くんですよ。汗かいても、拭けないしね。

「清水ちなみの賢人の壺」１９９８年12月

42

SHIMURA KEN

同じキャラクターの場合、何年たっても基本的に特徴は変えません

僕の場合、「変なおじさん」「バカ殿様」といったお馴染みのキャラクターがありますが、同じキャラクターの場合、何年たっても基本的に特徴は変えません。自分で飽きることもないし。もちろんネタ的には、これもやったな、あれもやったな、というのはありますが。でも昔やったものを自分でも忘れているから、映像で見直して、「あっ、コレ、もう1回できるな」と感じることはあります。やったそのときはいいと思っていても、まだ完成されていない場合もあるので、もう1回磨き上げてみようと。こちらの〝ワザ〟も変わっているし、相手役が変わることで、その内容も違うものになりますから。

◉外国人から「日本でいちばんおもしろいのは志村けんだ」と評されている。お笑いは言葉じゃない、というのが志村の信条だ。

バカ殿をやっていて、緊張したゲストは、北島三郎さんと藤山直美さんかな。先輩をどうやって楽しく帰すか、という点で緊張するんです。ゲストを迎えるときは、その方が心から楽しんでくれて、しかもウケるのは僕ではなくゲストであるべきだと思っています。相手が喜んでいるのか、イヤイヤやっているのか、そのあたりは、すごく敏感ですよ。

「恋と仕事の両立はむずかしい」２００６年３月

43

SHIMURA KEN

何やってもいいんだものね。そこまでやっちゃいけないだろうということでも

奇抜なところって言ったら、バカ殿はどうなんだってことになるんだけど、あれはあれで別なものでね。バカ殿も、あの人バカなのか、ほんとはちょっと分かってるんじゃないかという部分が少しあるのね、自分の中では。バカだバカだってわあわあ言ってるんだけど、ほんとは家来のことも全部知っててね、バカを装ってやってるんじゃないかなというところもあるわけ。台本を考えるときにね。

だって、ともかく何やってもいいんだものね。そこまでやっちゃいけないだろうということでも。時間持て余してるからこんなことで遊んじゃおうかなという、遊び方の工夫が頭いいじゃないですか。単純な遊びなんだけど、いろいろ工夫して遊ぶよね。どうしたら面白いかと。そういう意味じゃ、割と頭いいんだよね。

「志村けん『ドリフとバカ殿の真実』」2003年7月

44
SHIMURA KEN

子供でもお年寄りでもわかる笑いという、僕がめざしてる根本のところはちっとも変わってない。でも、お客さんの見る目や芸能界の様子はどんどん変わってきている

始めたころは、これほど長くやるとは全然思ってなかったから、メイクなんかも細かいとことかあんまり気にしてなかった。眉の形も昔と今じゃ微妙に違ってるんだよね（笑）。でも、基本的には白塗りだから、年をとらないというのが一番いい。僕が何歳になっても

演じられるというのは、今になるとすごくよかったと思う。

ずっとやってて、ゲストもいろいろ変わってきたし、腰元のメンバーも変わった。家老は最初は東八郎さんだったけど、亡くなられたので、その後は桑野がやってる。それこそずーっと一緒にやってるのは、僕と田代くらいじゃないのかな。

コントのつくり方では、子供でもお年寄りでもわかる笑いという、僕がめざしてる根本のところはちっとも変わってない。でも、お客さんの見る目や芸能界の様子はどんどん変わってきている。最初のころは、あの恰好で何かしてるだけで十分に変だから、笑ってくれたけど、これだけ長くやっていると、普通のことをやっても笑ってくれない。

お客さんがのぞむテンポも、昔より今のほうが速くなってるだろうし。

ゲストにしても、昔はアイドルの女の子たちがよく出て、かつらをかぶったり、ちょっと変なことをするだけでおもしろいということがあった。けど、今は若い女の子の歌手でも音楽一本でやってて、バラエティに出ないって人も増えてる。

そのぶん、ネタで埋めていかないといけないので、企画会議では毎回、あれもやった、これもやったとなって、けっこう毎回新しいことを考えるのはたいへんだ。

だから、笑いの根本は変わってなくても、番組の細かいところでは、時代とともに実はずいぶん変わってきてるんだよね。今回のホラー映画のパロディ集や海外ロケみたいな一見時代劇らしくないような試みだって、やっぱり時代に合わせてどんどんチャレンジしていかないといけない。

バカ殿は僕がすごく大事にしているキャラだし、ライフワークみたいなものだと思ってるから、これからもできる限り長く続けていきたいね。

「変なおじさんリターンズ15回」2000年9月

45
SHIMURA KEN

ここはクスクスと笑い、ここで大笑いと、台本を作るうえで計算して笑いの場面を作っている

ずーっと同じパターンというわけにはいかないから、コントの中心が殿の部屋だったり、ほかの場所へ行ったりして、笑わせ方を変えてね。それを考えるのが実は大変で。考えて考えて台本を作っているの。それは苦しいよ。でも、みんなとコントをやるときは楽しいんだよ。だって、どのコントも自分のやりたいことなんだから。

時間があれば、夜中までかかって映画を1日に3本見てるね。〝あ、このカット、いいな〟とか、〝この照明、どう撮っているんだろう〟って、仕事目線になっちゃうの。たとえ酔っぱらって帰ってきても1本は見ないと気がすまない日もある。だからビデオ屋さんでは新作を何本かまとめて買ってきて、そばに置いてる。でも、内容や役者さんには興味はまったくない（笑）。気になるシーンをメモ書きして、バカ殿の台本を考えるときに使ったりね。

全部大爆笑の続く番組だと〝笑い〟が普通の笑いになってしまう。けど、ここはクスクスと笑い、ここで大笑いと、台本を作るうえで計算して笑いの場面を作っている。大爆笑の後にわざとシーンとさせて、〝見てろよ、これから行くぞ〟というときはすごく楽しい。ドリフターズのときはそれを毎週、生でやっていたから、それは勉強になった。だから、予想以上に笑いがとれると満足だね。

俺はね、裸になって走り回ったりするのも、ちゃんと理由づけをしてやっている。風呂のシーンで裸になって桶《おけ》で前を隠すというのは当然のシーンでしょ。だから文句はいわれない。でも、若い芸人さんたちは、ただ裸になったりするだけじゃない。それで、（テレビでの）裸が規制されたのね。だからさ、作る側の人間としては、〝裸を雑に使うな〟っ

◉「変なおじさん」のキャラの発想は男性の願望の集約!?

て思うんだよ。桶とか、タライだって、それなりに理由やタイミングがあってやっているのに、それをただ、タライが落ちるから面白いって感じでやってしまう。〝いい加減にしろ〟って感じだよ。

「志村けん『バカ殿様』22周年記念　独占インタビュー」２００８年10月

46
SHIMURA KEN

屈折した感じでしょうか。それが「変なおじさん」のモチーフになっている

「変なおじさん」は「だいじょうぶだぁ」を始める時に、一個は毎週出てくるキャラを作ろうかなって思って、あのキャラを考えたんです。着想は、基本的にばかばかしくて単純です。子供の時から、好きな女の子の吸ったストローを同じように使ってみたいとか、同じたて笛を吹いてみたいとか、女子からすると気持ち悪い行為でも、男子だとわかるわかるっていうのがあるじゃないですか。

本当は好きな女の子とちゃんとお話ししてみたいんだけど、それがどうしてもうまくで

きない、その屈折した感じでしょうか。それが「変なおじさん」のモチーフになっていると思いますね。

決め台詞の「そうです、私が変なおじさんです」とか、アドリブ的に飛び出したと思われるかもしれませんが、僕なりにいろいろ考えて作っているんです。自分の頭の中では、どうすれば面白くなるかということを相当緻密に計算しているとは思うんだけども、それを活字にするとまったく面白くなくなるからね（笑）。


「芸能生活40周年　志村けんが初めて語った」2012年10月

47
SHIMURA KEN

言い方なんですね。「大丈夫だ」がふつうなんですけど、「だいじょうぶだぁ」と言うと、ちょっと楽しくなるんですよね

「だいじょうぶだぁ」というのもね、あれは、ぼくの兄貴の嫁さんの実家が福島の喜多方なんですよね。

そこへ遊びに行くと、「ああ、だいじょうぶだぁ。上がらっせえ、上がらっせえ。食べ

っせえ。だいじょうぶだぁ、だいじょうぶだぁ」って言うのが癖なんですよね。

それがすごく面白くて、ずっと「だいじょうぶだぁ、だいじょうぶだぁ」って言ってたんです。そしたらもう、それが番組のタイトルになっちゃいましたね。

言い方なんですね。「大丈夫だ」がふつうなんですけど、「だいじょうぶだぁ」と言うと、ちょっと楽しくなるんですよね。

「わたしはあきらめない」2003年2月

48
SHIMURA KEN

なぜか夜中の2時、3時になると僕らのところにあいさつにくる、ひとみさんというおばあさんがいた

ひとみさんは、ドジをするんだけど、すごくかわいらしい人で、バカ殿や変なおじさんと同じくらい大好きなキャラクターだ。

けど、ひとみさんが活躍できる設定というのがわりと難しくて、しょっちゅうできるコントじゃない。静かにしてなきゃいけない場面で、ひとみさんが余計なことをして、田代

が怒り出す、というパターンなんだけど、そういう場を考えるのがけっこう大変なんだ。ひとみさんがそこにいても不自然じゃなくて、しかも邪魔できるという設定がね。

それで『だいじょうぶだぁ』で最初にやったのが、小説家の家にひとみさんが家政婦でやってくるというコントだった。

『変なおじさん』の本に台本を載せた『キャディーのひとみさん』もすごく面白くて、僕の大好きなコントのひとつだ。これも打つ前にキャディーさんは静かにしてなきゃいけないという約束事があるから、ひとみさんのやることがおかしく見える。

今回は『付添人のひとみさん』。入院している田代の付き添いとしてひとみさんが派遣されてきて、とんでもないことになる。

『変なおじさん』の本にも書いたけど、ひとみさんにはモデルがいる。新宿の「ひとみ」という居酒屋にいたおばあさんだ。その店には『だいじょうぶだぁ』の本番が終わってからよく飲みに行ってたけど、なぜか夜中の2時、3時になると僕らのところにあいさつにくる、ひとみさんというおばあさんがいた。

それで、「こんなに遅い時間に大丈夫なの？　眠くないの？」って聞いたら、「今起きたんです」って言われちゃった（笑）。きっと夜の7時ごろから寝てて、夜中に一度目が覚めてたんだろうね。

そのひとみさんの様子がすごくかわいらしいので、しゃべり方や雰囲気をオーバーにして真似てみたのが、僕がコントでやってるひとみさんだ。


「変なおじさんリターンズ9回」2000年1月

49
SHIMURA KEN

ばあさんとね、酔っぱらいがいちばん疲れるんですよ。そのコントをやるのが

ばあさんなんかでも、けっこう、あれ、ばあさんって疲れるんですよ（笑）。

ばあさんとね、酔っぱらいがいちばん疲れるんですよ。そのコントをやるのが。終わってから、ゼイゼイ言いますからね。おばあさんって、呼吸しながら声が出てるんですよね。かなり高齢の人が、ウフフフフフ〜、ウフフフン、ウフフン、ウフフンとかって言うんですよ。そうやりながらですからね。

「ほんとに、あたしゃ、ウフフフ〜、ウフフン、ひとみと申しますで、ウウフフフ〜」っ

◉「ひとみばあさん」のように憎めないキャラでホンワカしたおばあちゃんって現実にいるから見ていて楽しい。

て、それをずっとね、10分ぐらいやってると、すっごく疲れるんですよ。酸欠になるんです。でも、そういうのが好きなんですよね、どちらかというと。

「わたしはあきらめない」2003年2月

50
SHIMURA KEN

目が悪いから、（舞台上での）バカ殿のときもほとんど見えてないから、暗転のときが一番、怖い。暗転になった途端、すぐ隣の人の手をパッとつかまないと

ひとみばあさんがかけてるメガネって実は全然見えないんですよね。分厚くてボヤーっとしか見えないからすごく怖いの、あのメガネ。スタンバイの直前まで、外していないとダメ。それに舞台上の動線の目印をバッチリしておかないと、まるで動けない。ヨロヨロしちゃうから（笑）。

元々、目が悪いから、（舞台上での）バカ殿のときもほとんど見えてないから。今は手術で視力回復が可能だけど、僕の場合、老眼、近眼、乱視が入ってるから無理みたい。

だから、舞台中は暗転のときが一番、怖い。暗転になった途端、すぐ隣の人の手をパッとつかまないと……。

若いころ、最初は目が良かったんだけどな。ドリフターズに入って、25か26歳の時に自分の目が悪いことに気づきました。新宿で友達と待ち合わせたときに、目印の看板がぼやけて見えなかった。その友達のメガネを借りたら、くっきり見えて……。あ、こんな見え方するんだって。その時、初めて自分の目が悪いんだとわかったんですよ（笑）。みんなが自分と同じようにぼやけて見えてると思ってたから。

「ロラックスおじさんの秘密の種」２０１２年９月

51

SHIMURA KEN

自分が面白いと思ったことしかやらない、というのがこだわりかな

自分が面白いと思ったことしかやらない、というのがこだわりかな。自分の感覚に正直にやらないと。バアさんだったらバアさんに見えなくちゃダメだし。亡くなられた太地喜

和子さんが、俺の番組大好きで、必ずビデオ撮って、劇団員にそれを見せて「これがバアちゃんに見えるでしょ。ね？　こういうのがお芝居なんだよ」と教えたらしいんだよね。

「志村けん『オレは同棲〝常習犯〟』」２００１年5月

＊　＊

何回見てもおもしろいコントというのもたしかにある。

「大爆笑」の名物シリーズだった「もしも……」のコントはおもしろいのが多い。

僕がメインのものだと、こないだの放送では「もしもこんなそば屋がいたら……」をやった。あれなんかは、僕が好きなパターンだ。じじいの店主で威勢だけはいいんだけど、体がいうことをきかなくて、そのおかげでとんでもないことになっちゃうというやつ。芸者、寿司屋、医者と、ずいぶんいろんなバージョンをやった。

そのほかでは、こないだ放送したもののなかだと、５人でやった「悲しい忘年会」というのがあった。あれはいいね。

サラリーマンの忘年会のコントだけど、死んだ同僚の父親が、息子に代わって忘年会に参加するところから話が始まる。父親役は加藤さんで、はまり役だ。それで、みんなで馬鹿な格好をしてワーッと盛り上がっている時に、ふっと息子が亡くなった寂しさに気づく。

あのコントは、ただバカバカしいだけじゃなくて、ちょっと深いものがあって、おもしろいと思う。

「変なおじさんリターンズ４回」１９９９年７月

52
SHIMURA KEN

不思議な風体の人間がいると尾行していくわけ。無意識のうちに見てんだろうな。何かないか、何かないかって

いまは時間がなくてやらないけど、昔、売れないころは窓のある喫茶店に入って通る人を見ながら、あいつは何をしてるとか、家では女房の尻に敷かれてるだろうとか勝手に想像したり、不思議な風体の人間がいると尾行していくわけ。

で、ヨレヨレのコートを着てるくせに、なんでデパートに入っていくんだ――と思いながらついていくと何も買わない。

ただ店内をぶらぶらしてるだけ。「そうかあいつ、暇なんだ」と。でも、オレのほうがもっと暇なんだよ（爆笑）。

それと、あるとき渋谷の道玄坂で、当時付き合ってたネエちゃんとメシを食いながらなにげなく外を見ると——あそこには〈道玄坂〉って書いた木の柱が建ってるのね。

それを変なおじさんがジーッと見てるの。あちこちから。「ああ、読んでるんだな。でも長いな」と思いながら見てると、柱の周りをぐるぐる回り出して、そのうち柱を引き抜こうとしてるわけ。

根元はコンクリートで固めてあるのに。「バーカ」と思いながら見てるとこんどは押してるんだ。「ウーン、ウーン」て感じで。

「あいつ、ほんとバカだなァ」と思ったけど、なんか気になってね。メシを食べたあと、そこへ行ったの。

で、気がついたら一生懸命押してるの、オレも（爆笑）。「アッ、いけねえ」って思ったよね。無意識のうちに見てんだろうな。何かないか、何かないかって。

あとは、それを細かく覚えているかどうかだね。（笑福亭）鶴瓶なんか、ほんとよく覚えているから。

「美奈子倶楽部『本音を聞かせて！』」２０００年２月

53
SHIMURA KEN

人間、つらいことがあっても、笑っていれば、瞬間、そのつらさを忘れることができるじゃないですか。たとえ一瞬でも……。そういう笑いをつくれれば十分なんだね

最近、「なんで、こんなにお笑いが好きなのかなぁ」って、自分なりに考えてみたんですけど……、自分のやったことを見てね。笑っている人たちの顔がすごくいい顔なんですよ、腹を抱えて笑っている人の目って、輝いているじゃないですか。それを見ながら、「そうか、あの笑顔が俺を幸せな気分にしてくれるんだな」って。

人間、つらいことがあっても、笑っていれば、瞬間、そのつらさを忘れることができるじゃないですか。たとえ一瞬でも……。そういう笑いをつくれれば、僕は十分なんだよね。人に夢を与えようとか、エラそうなことは思わない。レベルが低いと言われようとも、夢をもてないような人たちにも笑ってもらい、つらさを一瞬でも忘れてもらえば「上等だ」と。

54

SHIMURA KEN

「こんな酔っぱらい、いるよなあ」とか、「こんなおばあちゃん、いるよな」って見せないと、ぼくはダメなんですよ。それが原点ですね

「バカ殿インタビュー　志村けん」1999年3月

人の動き、研究はしないですけどね。あんまり人前でそういうことはやりませんけど、たぶん酔っぱらいの人とか見てて、あ〜、きてるなあ、相当酔ってるなあっていうのを見てて、自分の中で同じような動きをしてるんですけどね。

それをちょっと誇張すると面白くなるんですよね。「そんな酔っぱらい、いねえだろう」というとこまでいっちゃうとダメですけど。

ぼくの原点は自然ですからね。あくまでもそう見えなきゃダメなんですよ。酔っぱらいでもおばあちゃんでも何でも。

メイクも、だからそういうふうに見えるためのメイクでして、変に遊ぼうと思ってるメ

イクは、「変なおじさん」だけですかね（笑）。

それ以外は、大体おばあさんも、なるべくそう見えるようにメイクしてるんですよね。だから、初めの入口は、自然に、そういう酔っぱらいの人がいるっていうのが見えて、だんだんその人が、なんかこうなって、こうなって、最後にはとんでもないことになるっていうのが大好きなんですよ。

その過程がすごく面白いんですけどね。でも、入口で、見た人に、「ああ、そうそう、こんな酔っぱらい、いるよなあ」とか、「こんなおばあちゃん、いるよな」って見せないと、ぼくはダメなんですよね。けっこう、それが原点ですね。

「わたしはあきらめない」2003年2月

55
SHIMURA KEN

5人から2人になったときに、「つまんない」って言われるのがいちばん辛いんで、プレッシャーというか、かなりきましたね

ドリフターズの「全員集合」が終わってからは、今度、個人になるじゃないですか。そ

のときはかなり、まあ苦しいっていうか、逆にプレッシャーですよね。

加藤さんと2人で番組をやってたんですけども、5人から2人になったときに、「つまんない」って言われるのがいちばん辛いんで、そのときはプレッシャーというか、かなり、やっぱりきましたね。そのときは相当一生懸命やりました、たしかに。いくら飲んでても、家へ帰ったら、必ず映画を一本見るとか。

映画見たら何なんだということになるけど、映画を見て、その中のあるシーンから何かヒントを得るとかね、そういうのはずっとやってましたね。

「わたしはあきらめない」2003年2月

56 SHIMURA KEN

芸人なんかに常識求めちゃいけないよね

どうしても、みんな文化人になろうとかするじゃないですか。僕はそういう気はないし……。お笑いで出たから、ずっとお笑いやっていこう、と。いまどき古いかもしれないけど、芸人なんかに常識求めちゃいけないよね。常識ないから、芸人やってるんだから。今のテレビ番組って、芸人集めて「これが出来なきゃバカ」とかって、よくクイズやってるでしょ？　いいんだって、それで食ってるんだから。本当に芸事が好きな人は、別に常識なくたって、いいと思いますよ。司会業とかする人には、必要なんでしょうけどねぇ。

「清水ちなみの賢人の壺」１９９８年12月

57
SHIMURA KEN

全員集合で子供のファンが多いっていわれて、じゃ今度加トケンやって、だいじょうぶだぁやって、それでもついてくるんです

子供相手にやっているという意識はないです。というか、全然そうではないですよ。ボクなんかが自分で好きでやってるコントが子供にわかりやすいってことじゃないですかね。全員集合で子供のファンが多いっていわれて、じゃ今度加トケンやって、だいじょうぶだぁやって、それでもついてくるんですよね。意識、全くしてないんだけど。加トケンなんて全員集合とはずい分変わってきてますから、どうかなと思っても、子供は下からどんどんできてくるのに、それがついてくるでしょ。不思議とその理由はわからないです。子供

がファミコン以降、古い世代から見たら超能力者だっていうほど変わったとかいわれても、TVを見ている間はそんなに変わってないと思いますけどね。せいぜい変わったのは物おじしないぐらいじゃないですか？

「帰って来た夜8時のお笑い王　志村けん」1988年10月

58
SHIMURA KEN

チャップリンみたいに、音楽もあって、表情でも寂しさを表現してるみたいな笑いのほうが好きだね、とっても人間的で

チャップリンの映画って、金持ちが被害をこうむるのを貧乏人が笑うというパターンがあって、ああいう精神が僕は好きだ。

僕もじいさん、ばあさんといった役をやるけど、彼らは世の中で弱い立場にいる人達だ。それがいろんなことをやって笑いが生まれて、最後にはじいさん、ばあさんが勝つ。そうやって弱い者が勝たないと、僕は面白いと思えない。

ドリフのコントだって、社会の縮図みたいなもので、すごくいばってるいかりやさんが

いて、僕たちがその足をすくうから見てる人は喜ぶ。ドリフの笑いの根本は、そこなんだね。僕はキートンも動きで笑わせるところが好きだ。でも、無表情なのは嫌い。やっぱりチャップリンみたいに、音楽もあって、表情でも寂しさを表現してるみたいな笑いのほうが好きだね、とっても人間的で。

「変なおじさんリタ〜ンズ14回」2000年6月

59
SHIMURA KEN

笑いには今も昔もなくて、普遍的なものだと思っているということだ

実は、今回のスペシャルを撮る前に柄本さんと一緒に飲んでいて、「新しいコントって何でしょうかね」って話になった。

「若い芸人たちが新しいと言われてるコントをやってて、それなりに受けてるけど、するとオレたちは古いのかねえ」って。

そしたら柄本さんは、「志村さんのコントは古い新しいなんて関係ないですよ。誰がい

つ見ても、笑えるコントをやってるわけだから」って言ってくれた。

僕も、そうだと思う。

突然、誰かが突拍子もないことを言ったりやったりするようなコントは、若い人たちにはわかるのかもしれないけど、僕の世代になると、周りにそういう人間がいないから、なかなか理解できない。新しいコントというよりも、これが今のコントなんだって言うために、無理して新しいことをやってるんじゃないかって気もしてくる。

やっぱり僕は、子供が見ても、大人が見ても、年寄りが見ても、笑えるコントをやりたい。だから、どうしても設定が大事だと思うし、出てくる人物が真剣になればなるほどおかしく見えるコントになる。

それには、芝居がちゃんとできることが大事だと思っている。

もちろん、お笑いにはいろんな形があっていいから、どれがいい悪いって話じゃない。

ただ僕は、笑いには今も昔もなくて、普遍的なものだと思っているということだ。

「変なおじさんリターンズ9回」2000年1月

60
SHIMURA KEN

子供達が素直に参加できればウケますね、必ず

彼ら、反応が早くて素直なんです。〝ひげダンス〟にしても、ピークが過ぎてから大人が騒ぎだしたでしょう。例えば「やれ、チンチン」とか言っても、大人は少し考えてから笑うでしょ。子供は即です。〝夫婦コント〟なんかでも、彼ら笑いますよ。おかしければおかしいってね。

ひげダンスは偶然なんですよね。ふらっと洋盤屋行って、ジャケットのいいLPだ、こいつのヒゲかっこいい、なんてんで聴いたら、テディ・ペンターグラスっていう、向こうでは有名な人のやつでね。その中で、あの曲は、妙にイントロがヨクって頭に残ってたんです。

今の音楽って、CMでも何でもテンポが速いでしょ。子供達はリズム感いいし、音に敏感なんですよね。あの曲は、そこにミートする。それと踊りね。彼らはみんな参加したいんですよ。何かの中に。子供達が素直に参加できればウケますね、必ず。

「志・村・け・んって、体のほとんどが胴みたい。」1980年9月

61
SHIMURA KEN

まず屁をしてみる、で「エーッ」と顔をしかめる人はダメ。笑っちゃう子がいいんです

コントが好きな人を選ぶのは簡単。「全員集合」のころ、新人のアイドルなんかが出演するとその前でまず屁をしてみる、で「エーッ」と顔をしかめる人はダメ。笑っちゃう子がいいんです。

基本的に歌を歌う人たちは、リズム感があって間の外し方もうまい。田代まさしや桑野信義と一緒にコントやったのも、結局、彼らがミュージシャンだったからだね。音楽知っている連中のほうがやりやすい。

これは僕がドリフに入ったことともつながってるんだ。

「志村けん　お笑い帝王の逆襲！　1回」1998年1月

62
SHIMURA KEN

私生活はだらしないけど、こと笑い、番組作りとなるとゆずれない

一番の転機? そうだな、一番気合いが入っていたのは、『全員集合』が終わって、加藤茶さんと二人の『ごきげんテレビ』がはじまったころですかね。メンバーが2人になって、「やっぱり5人のときのほうがおもしろいや」って言われるわけにはいかなかったですから、とにかく力が入りましたよ。

寝ても覚めても「何かないか、何かないか」とコントのネタばっかり考えていました。その1年数カ月後には『だいじょうぶだぁ』もはじまり、コント番組が週に2本になった。さすがにきつかったですね、1本でもきつかったのに。いや、アイディアが出るときはいいんですよ、好きなことですから。でも、アイディアが出ないときにはとことん出ませんからね。当時は、週に6日は朝の3時、4時までスタッフや出演者と飲んでいたんじゃないでしょうか。いいコント番組を作ろうとすると、ちょっとした間とか、台本では伝わら

ない意思疎通を図るためにも、どうしても酒席は避けられないんですよ。1日に3軒、4軒とはしごをしたり。

番組スタッフや出演者は変わっても、こっちはずっと一人で連投に次ぐ連投ですからね(笑)。自分でもホント、よく持ったと思います。

俺ね、コントを作っていくのに、「このへんでいいかな」という妥協ができないんです。そのかわり私生活はだらしないけど(笑)、こと笑い、番組作りとなるとゆずれない。とことん考えに考え抜いて、実際、胃に穴が空いちゃったこともありますから。

「コント一筋! コメディアンインタビュー」2014年8月

63
SHIMURA KEN

不得意なところに行くより得意なところで勝負した方が勝ち目もあるしね

昨日ディスコに行ったら二人連れの外人の女性が来てね、ボクのことをテレビで見て知ってるわけ。で、あんたの言葉がわかんないけれども面白いって言うんだ。ボクは、タモリさんやたけしさんと違って、形態で笑わす方だからわかるんだね。

これは『全員集合』の時からそうなんだけど、ボクは好きなこと、面白いと思ったことをやってるだけなんだ。

子供向きに作ってる個所が一つもないのに、子供がついてくるっていうのも、ボクが動きのおもしろさに重点をおいた古いタイプの芸人だからじゃないかな。

逆にタモリさんやたけしさんはトークが多いでしょ。小さい子どもや外人にはわからないでしょうね。

だから、たけしさんなんかは俳優やったり監督やったり色々と手を拡げてるけど、ボクはそんなにアレコレやってもしようがないと思ってる。自分の不得意なところに行くより得意なところで勝負した方が勝ち目もあるしね。

タモリさんやたけしさんみたいにトークがうまい人に立ち向かおうという気はないんだ。ライバルなんて思ってないよ。その代わり、コントに関しては負けないっていう自信はあるけどね。

「〝バカ殿〟〝へんなオジサン〟が本音ポツリ」1989年9月

64

SHIMURA KEN

僕はね、人の笑った顔が好きなんですよ。人が笑うとちょっと自分が幸せになるでしょう？

ただ、僕はね、人の笑った顔が好きなんですよ。

人が笑うとちょっと自分が幸せになるでしょう？　ウケてくると自分の計算以上のことをやるんですよね、俺たちって。人の笑い声でフッと何かを思いついて、「もっと上を」となるのね。

笑わせることがメーン。それは、きっと、これからも変わらないでしょう。

「恋愛は〝3年周期〟お付き合いは〝忍耐〟です！」２０００年10月

65

SHIMURA KEN

職人のように一つのことを「まだまだ」といいながら、どこまでも上を目指していきたい

僕は臆病だからコツコツ積み重ねていくタイプ。台本作りにしても、「ここまでやればもういいんじゃない？」という、中途半端なことができないんです。だから何回でも見直すし、最低でも2つ以上のプランをもっていないと不安なんですよね。

舞台では演じている人間はもちろん、照明さんや裏方さんも含め、現場に関わっている全員が真剣勝負です。そんなメンバーを引っ張っていくには、まず、自分がウケることをやってみせることが大事。そうすれば、人は自然とついてきてくれますから。いくら偉そうなことを口で言っても、舞台でウケなければ彼らに信頼されません。自分がウケることをチーム全員にずっと見せ続けることが大事なんです。

同じことをずっと続けていくことが好きなんです。同じお笑いを今までどおりやっているのですが、僕のなかでは完成していない。周囲からは出し物を変えてほしいと言われる

のですが、僕は同じことをやって、ワインのように熟成させていきたいと思っているんです。若いときは新しいネタをがむしゃらにやっていたけれど、今は職人のように一つのことを「まだまだ」といいながら、どこまでも上を目指していきたいですね。

「旅の途中　志村けん　生涯、お笑い職人」２０１６年7月

66
SHIMURA KEN

バカを通して、一生、楽しく生きたほうが人間らしいじゃないですか

ドリフの『全員集合』のときも、子どもがやりたいこと——いたずらとかなんとかを僕が代理でやっていたから、子どもたちが「志村、がんばれ!」って言ったわけじゃない。ところが、バカな大人は、そういうのを見て、〝俗悪番組〟と言うんだな（笑）。

確かに、日本では笑いの地位が低すぎるとは思うけど、だからといってサ。お笑いが「うわあ、すごい!」と言われるのも、いやだよね。照れちゃって（笑）。もっとも、いまじゃお笑いの人も司会とかをやって、〝文化人〟になりすましているやつも少なくないけ

◉この笑顔、この表情、ただ見ているだけで可笑しくて吹き出してしまう。

ど（笑）。

本当に〝お笑い〟が好きなら、文化人とかになったほうがつらいんじゃないのかな。だって、自分の冠とか地位を気にしている人間って、つまんないじゃない。どうせ日本なんていう国は、渥美清さんにしても、黒澤監督にしても、死んでからじゃないと勲章をもらえないんだから。そんなのはいらないんですよ。それより、バカを通して、一生、楽しく生きたほうが人間らしいじゃないですか。

だから、これからも酒を飲んで、くだをまいては、「バカ」と言われようとも、若い女のケツを追っかけますよ（笑）。とことん、死ぬまで……。


「バカ殿インタビュー　志村けん」1999年3月

第四章

お笑い道

文化人になってはいけない

67

SHIMURA KEN

お客さんが大爆笑してくれた瞬間は、「金も女もいらないな」と思いますよ、ホントに

なんで笑いにこだわるか? 子どもの頃、親が教員で、ウチがいつも暗かったのが影響しているのかな(笑)。あとは、やっぱり好きだからね。お客さんが大爆笑してくれた瞬間は、「金も女もいらないな」と思いますよ、ホントに。

「舞台で理想のお笑いを追求する」2007年6月

68

SHIMURA KEN

マンネリの力はすごい。今のお笑いって、マンネリすらできないでしょ。マンネリをバカにしちゃいけないんだね

僕が嫌なのは、「ネタが古い」って言われること。

◉「笑われる」ことに喜びを感じるのが、本物のコメディアンであろう。

「大爆笑」の中で「全員集合」ではやった合唱隊のネタをやってたんだけど、そこまで過去の栄光にすがることはないよな。それで僕、一時期、「大爆笑」には出演しなかったんだ。いかりや長介さんは「それでもいいんだ」って言うけど、僕はダメ。

とはいえ、お笑いっておもしろいもので、新しいことにプラスして「待ってました」という部分も必要なんだね。「全員集合」でやっていた「カラスの歌」を1回やらなかったら、その日の放送後、「子供が寝ないんだ。どうしてくれる」なんて苦情が殺到したの。マンネリの力ってすごいって実感したね。今のお笑いって、マンネリすらできないでしょ。マンネリをバカにしちゃいけないんだね。

「志村けん　お笑い帝王の逆襲！　1回」1998年1月

＊　＊

たとえば2時間の舞台があったら、まったく新しいコントは10本くらいで、それ以外は前からやっていたコントを磨き直したものをやるようにしています。というのも、見るほうも、「やるぞ、やるぞ、きっとやるぞ」とどこかで期待していて、馴染みのあるものをやると、「ほーら、やった」と安心する。そういう安心感をある程度与えるのも大事で、お客さんの予想を全部裏切ってしまうと、うまくいかない。

マンネリは、大切な要素なんです。

「恋と仕事の両立はむずかしい」2006年3月

69

SHIMURA KEN

1時間もののの、いいところだけを5分なら5分にギュッと詰めたものがコント

結局、コントって言っても〝お芝居〟なんだよね。本当は1時間もののの、いいところだけを5分なら5分にギュッと詰めたものがコントだと思うし、そのためにはもうちょっと演技力が必要じゃないかって気がするね。若い連中だと、演技力よりも受け答えのオカシさばかり狙っちゃって、その人らしく見えないっていうのが一番感じるところかな。（『SMAP×SMAP』は）面白いって思うときもあるよ。逆に、オレたちだったら成立しないと思うときもある。でも、みんな各々何かあるんじゃないかな。やっぱり踊りと音楽やってるから、いい勘してるよ。間だとか、そういうところは今の連中にしては抜けてると思うね。

70

SHIMURA KEN

ワーキャーなんてお笑いに必要ない

「世代の笑いの育ての親　志村けんインタビュー」1997年3月

「ボキャブラ天国」（フジ系）がお笑いの登竜門とか言っているけど、あれをお笑いと思ったら大間違いだね。単なるダジャレだからね。画面の文字を消して見てるとどうしようもないよ。以前、出演者の1人に「アレ好きでやってんのか？」って聞いたら、「嫌いですよ」だって。ちっともプラスになんない。

今、若手のお笑いが小さな劇場のライブやテレビの公開番組に出ると、ワーキャー叫ぶファンしか来ない。ワーキャーなんてお笑いに必要ない。拍手だったらうれしいんだけど、間がずれて、かえって迷惑なんだよね。ああいうのが芸人をダメにする。

だいたい、クラスの人気者が勘違いしてお笑いの世界に入ってくるのが大きな間違い。だから、見る側も中学、高校時代の一瞬の思い出として笑うけど、ただそれだけのことなんだね。本当に面白いとは思っていない。

「だいじょうぶだぁ」をやってるころ、子供たちが「変なおじさん」のマネをしていたけど、今、お笑いでそういうのは1つもない。クイズで「あの問題、笑ったよな」というのもないし、「ボキャブラ」が次の日の学校で話題になったって話も聞かないよね。

「志村けん　お笑い帝王の逆襲！　1回」1998年1月

71
SHIMURA KEN

下品バンザイ！　ですよ

日本のお笑いでおかしいのは、誰か出てくると、必ず、「下品だ」みたいな声が出てくるじゃないですか。良識のある人たちから。芸能評論家だとか、

「もっと良識のあるお笑いがいい」

とか。

「良識のある笑いを、オマエが見せてくれよ」

と、いいたくなるんだけどね。お笑いが下品でいけないのか、ということですよね。下品だから面白いっていうのもあるし、そのへんが、やってて非常に難しいですね。

オレなんか、良識のある偉い人には見せたくないっていう、お笑いをやってますもんね。たけしサンと正月番組で、バカ殿でハダカになったんだけど、たぶん良識ぶってる人からすれば、「かっ、くだらない」という笑いですよ。

「そこまでしなくったって」というね。

でも、たけしサンと2人で

「そこまでするから面白エんだ。バカヤロー。だから今の日本じゃオレたち勝ちだよな」っていう話をしたんだけどね。カンヌ映画祭でグランプリを取るような人が、いい年こいて、あの体型で裸になるから最高なんだから（笑）。

大衆は大好きなのに、どうしても日本の良識派の人たちは、なんかお笑いを低く見るんだよね。よっぽど、そのほうが程度の低さを物語ってると思いますけどね。

下品バンザイ！　ですよ。

「ガハハ大放談『笑撃人間』登場！」1998年6月

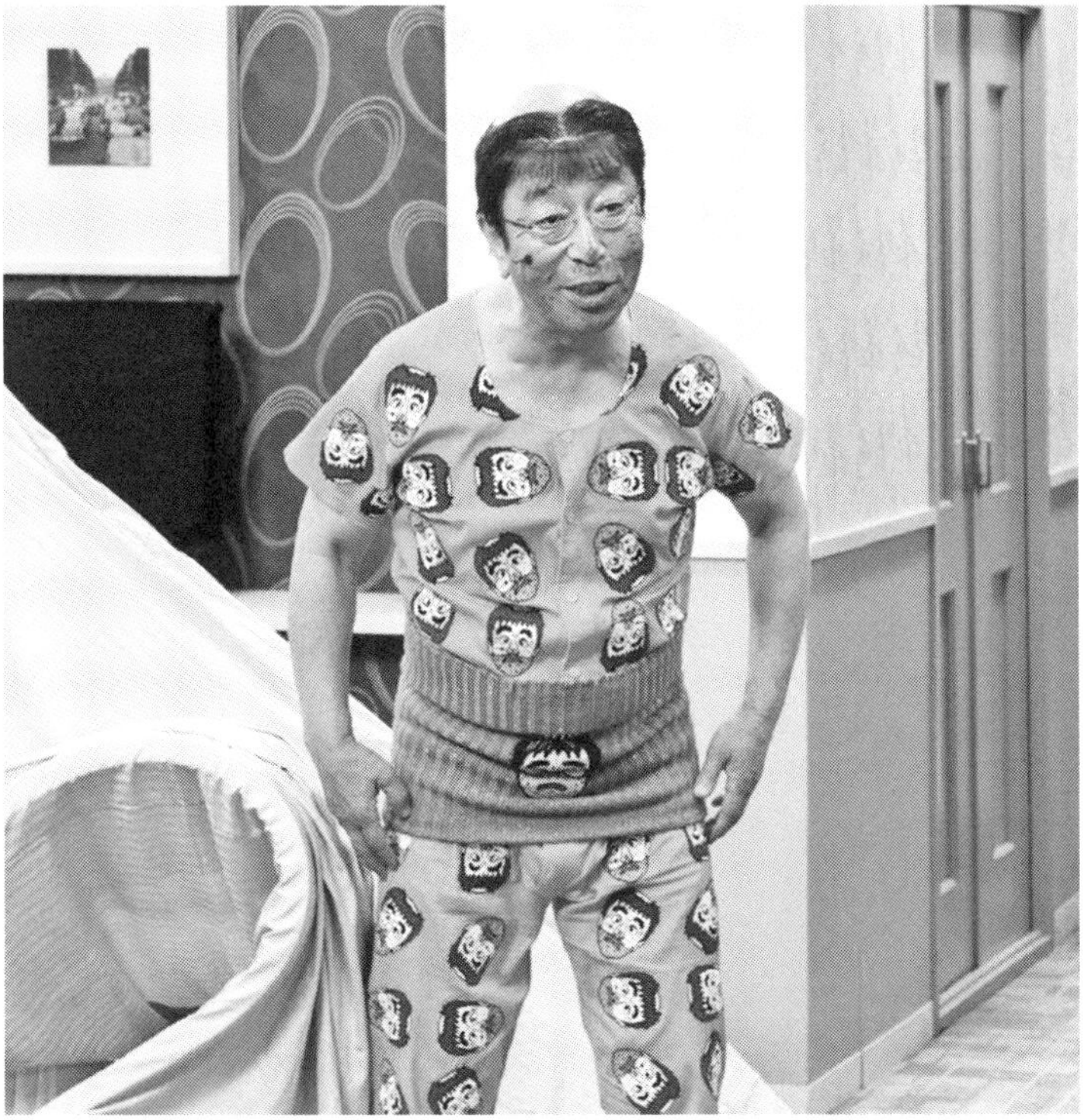

◉最も人間性を感じるのが〝笑い〟の世界だ。飾ることなく、
素の自分を見せる。下品、バンザイ！

72

SHIMURA KEN

恥かいて自信をなくすよりは、自分の得意なことを磨いていくほうがいいんだよ

4番だからいつも打たなきゃって思い詰めちゃうと苦しいよな。自分の役割を分かって、これが来たら絶対ちゃんとやれるっていうものをやればいいんだよ。そこで無理をする必要はない。

俺は前から嫌なことはやらないようにしてきたからね。トーク番組もほとんど出ないし。苦手なとこに出ていってそこで恥かいて自信をなくすよりは、自分の得意なことを磨いていくほうがいいんだよ。

「やっぱり志村さんに訊こう。特別編」2012年6月

73

SHIMURA KEN

いつも100パーセントでやろうとするからダメなんだよ

いつも100パーセントでやろうとするからダメなんだよ。100の力があったら、70でいいんだよ。

オレたちのやってる、こういうコメディとか、テレビの仕事って、100の力を出そうと思ってシャカリキになってやるとね。周りのものが見えなくなって、ほかの人たちとギクシャクしちゃうんだよ。

「心に深く残る人生の出会い」1992年5月

74

SHIMURA KEN

ちょっと面白いものが続いて、最後に100点……って、そういう構成じゃないとつまらない

コント番組の作り方はまず、粗編っていって、出来上がったコントだけをずーっと見せてもらうんです。で、あそこのカットが悪いとか、あそこは違うカメラで撮ったものを使おうとか、そうやってダメ出しして、それからこのコントはOK、こっちはダメ……って具合に番組を構成していくんです。

素人の人は、いいものだけを並べればいいって思ってるでしょ？　例えば、1日に10本とか20本撮っても、その中から（出来が）いいものだけを出そうとするよね。でも、そうすると困っちゃうんだよ。70点が60点とか、ちょっと面白いものが続いて、最後に100点……って、そういう構成じゃないとつまらない。いいものばっかりじゃダメなんですね。

ずーっとしゃべってたら、次は静かなもの。で、その次は音楽を使ったネタを持ってくるとかね。バランスよくやっていかないと飽きちゃうよね。

先週は22本撮りましたね、1日に。50数秒とか1分とかの短いものもありますけどね。そんなのを含めて二十数本撮るんです。

僕の場合は、1本の作品を作るというのとは違って、何十本のコントがありますから、その中には（自分の中で）98点、っていうものもありますけど……。でも、やっぱり100点はないかなぁ。しかも、撮った後すぐに見ると、欠点ばっかり見えちゃうのね、自分の。自分の中では「100点出そう」と思ってやるんだけど、出来上がりを見るとやっぱりダメですねぇ。

「清水ちなみの賢人の壺」1998年12月

75
SHIMURA KEN

コントで共演者に求めるのは、基本的にお芝居がちゃんとできる人ですね。それと、「死ぬ」ということがわかる人

僕が今までこだわってきたのは、時間をかけて準備して、細部まで作りこむお笑いです。今は長年一緒に仕事をしてきて僕のやりたいことをよくわかっている作家がいるので、か

なりの部分を彼に任せていますが、以前はすべて自分でやっていました。ネタを考えるだけではなく、番組全体の構成、照明、セット、音楽まで、何から何まで全部です。

そのために、ありとあらゆるジャンルの音楽を聴くし、映画も山のように見ます。とりあえず、新しく出たビデオやＤＶＤはすべて買うといってもいいぐらい。家にどのくらいの映像資料があるのか、自分でもちょっとわからないなぁ。休みの日はほぼ一日中、家で映画を見ています。

コントで共演者に求めるのは、基本的にお芝居がちゃんとできる人ですね。それと、「死ぬ」ということがわかる人。たとえばドリフターズで言うと、加藤茶さんがウケる場面では、ほかの人たちは自分は「死なせて」、加藤さんを助ける芝居をする。ある人を「生かす」ために、その場で自分の存在感を消して、あえて引き立て役に徹することができるかどうか、ということです。いつも「俺が、俺が」と自分が出ていこうとする人とは、一緒にやりたくないですね。通行人や電車の乗客など、黙っている役柄でもちゃんと自然な演技ができる人じゃないと。

「恋と仕事の両立はむずかしい」２００６年３月

76

SHIMURA KEN

コントをメインにしたバラエティーというのは、ファミリーを形成するのに1年ぐらいはかかるんですよ

コントをメインにしたバラエティーというのは、出演者だけでなく、技術スタッフを含めたファミリーを形成するのに1年ぐらいはかかるんですよ。コントっていうのはタイミングと間ですから、カメラマンの人に「こういうタイミングで撮ってもらいたい」とわかってもらうまでも、かなり時間がかかるんです。

初めはこっちも「すいません、こう撮って下さい」って遠慮も出るじゃない。そこから半年ぐらいたってからですよ、お互い、気心が知れて「ちがうだろう、バカ野郎！」って気安くいえるようになるのは。

実際、初めてのカメラマンの人に「志村さんは、なんであんなに画にうるさくいうんだ」といわれ、ちょっともめたことがあったんですね。そのときは、ふだん、あまり人を家に入れないんだけど、そのカメラマンをうちに呼んだんですよ。

で、映画をはじめあらゆるジャンルのビデオで埋まっている部屋を見せたら、「すいませんでした」と謝って帰っていきましたけどね。「そんなに詳しいとは……」って。

いまはＤＶＤだけで、ほとんどビデオを見なくなったけど、いまでも8畳ぐらいの部屋の三分の二はビデオで埋まっていますよ。ドラマ仕立てのコントをつくるときなんか、映画の技法を参考にしたりしますから。コントでも、何か起こりそうなサスペンス・タッチの予感を感じさせることってあるわけでしょう。怖いシーンのコントでは、どうやったら怖く見えるか！

時間があれば日に何本もＤＶＤなどを見て、自分の頭の中にいろんなカット割りをインプットしてますよ。

「走り続けた『全員集合』が終わったのが34歳のとき。」２００４年11月

77

SHIMURA KEN

30代で手を抜かなかったから、40代、そしていまの自分があると思うし、やっぱり一番重要な年代なんじゃないのかな

『ごきげんテレビ』と『志村けんのだいじょうぶだぁ』がダブった3年間が一番忙しかったのかな。週にコントの番組を2本というのは、命を削るというか、いまじゃとてもじゃないけどできませんよ。30代という、もっとも無理のきく時代だったからできたんでしょうね。

『だいじょうぶだぁ』なんかは、スタジオを2つとか使ってセットを5、6個つくっては毎週撮ってましたから。作家と台本をつくる日が一日あって、本番の日は昼の12時入りの1時開始で、終わるのが夜中の3時頃ですから。2時に終わると「今日は早いな」っていう感じでしたね。ちょっと凝ったものをやると、どうしても4時、5時になるしね。それからスタッフや出演者と酒を飲みに行くんですけど、よく生きてこられたというか（笑）、30代って一番働けて無理がきくときじゃない。30代で手を抜かなかったから、40代、そし

ていまの自分があると思うし、やっぱり一番重要な年代なんじゃないのかな。

「走り続けた『全員集合』が終わったのが34歳のとき。」２００４年11月

78

SHIMURA KEN

やりたいことやって生きている人って、そうはいないんじゃない。だから、仕事では絶対文句をいわない

やっていることは、若いころと何一つ変わってないですからね。とにかく面白いコントをつくりたいという。自分の好きな、やりたいことやって生きている人って、そうはいないんじゃない。千人に一人、いや万人かな。

だから、仕事では絶対文句をいわない。確かに、こういう時代ですから、カネと時間のかかるコントよりも、安上がりなトークや素人をいじくるような番組ばっかりになってきましたけど、人はともかく、自分がやりたいのはコントですから。

好きなことって、時間とか損得じゃないんですよ。コントやって儲けようなんて微塵もないですから。とりあえず、寿司屋のカウンターに座って好きなものが食えればいいと。

79
SHIMURA KEN

アイデアが出ないときには、「出るまで待つしかない」と自分に言い聞かせ、ガツガツ、イライラするのだけはやめようと……

「走り続けた『全員集合』が終わったのが34歳のとき。」２００４年11月

５、６年前になるのかな、胃潰瘍で七転八倒したのは。そのころはゴルフをやってても、頭の中は仕事でいっぱいでしたからね。「今度こういう企画でコントをつくってやろう」とかって。いや、アイデアが出るときはいいんですよ、好きなことですから。でも、アイデアって出ないときは、とことん出ませんからね（笑）。そんなときはゴルフ場でも、こう額に皺《しわ》つくってましたよ。知らない人が見たら、怖い顔だろうな（笑）。「遊んでいながら、なんて怖い顔をするんだろう」って。

さすがに、これじゃ身がもたないと思いましてね。胃潰瘍はドリフ時代を入れると３回目でしたから、遊ぶときは素直に遊ぼうと。飲むときも、仕事のことは一切考えないよう

にしたんですよ。といっても長年の癖で、頭の中で勝手に考えたりしてますけど、アイデアが出ないときには、「出るまで待つしかない」と自分に言い聞かせ、ガツガツ、イライラするのだけはやめようと……。

「走り続けた『全員集合』が終わったのが34歳のとき。」２００４年11月

80
SHIMURA KEN

アドリブみたいなのばっかりで創っていると、一瞬は新しく見えるんですよ。でも長く見ていると、あきてくる

タモリやたけしさんの笑いは、好きです。まったく自分とは別のものとして見てるから、かえって普通の客になって見てますけどね。笑いはいっしょでも笑わせ方が違うから。視聴率っていうのはあるから気にしますけど。ほんで良いに超したことないしね。ひょうきんからこっち加トケンにチャンネル戻したとか言われるけど、もともと全員集合ってずーっと視聴率が良くて、その後にひょうきんが出てきたわけでしょ。それ長く考えれば、ほ

んの短い間にちょっと浮気されたみたいなもの、それだけの事ですよ。だからドリフターズとかボクなんかのコントっていうのは、ある程度計算して台本作ってつみ重ねていくわけでしょ。ちゃんと創って、ここでこうやるって計算の上決まってやってるんですよ。ひょうきんはそれを壊していく創り方でしょ。決まってるんじゃなくてアドリブみたいなのばっかりで創っている。

そういうのが一瞬は新しく見えるんですよ。でも長く見ていると、あきてくるんですよね。創るのはいろんな方向へ行くけど、壊すのは全部いっしょくたというか。そういうこと言うとひょうきんのスタッフの人に怒られちゃうかもしれないけど。だから逆にボクから言うと、ただ見る人が帰って来たとしか思えないのね。やり方としては間違ってなかった。まあそれしかできないからなんだけど（笑）。

だから、しばらく僕らは楽かなみたいなことです。同じ芸風のが育って追っかけてこない淋しさなんて感じてるヒマないですね、自分の事で手いっぱいだから。

「帰って来た夜8時のお笑い王　志村けん」1988年10月

＊　＊

10人のうち、せめて8人からは笑いをとろうと思ってやってるんだよ。子供から年寄りまで日本全国、いや外人だって笑わせるんだ。でも、そんなに簡単じゃないんだよなぁ……わかるか？　ポギー。

「笑いの殿様　志村けんの『孤独な自画像３』」１９８９年６月

81
SHIMURA KEN

もうちょっともうちょっと、あと少しで完成って思いながらやっていくのは楽しいよ

つねに完成に近いものをやろうとはしていても、完成するっていうことはないと思うんだ。でも、もうちょっともうちょっと、あと少しで完成って思いながらやっていくのは楽しいよ。

「『志村魂２』志村けん×ラサール石井」２００７年６月

82
SHIMURA KEN

ふざけたりして楽にやっちゃったりすると、芯が立たなくなっちゃう

ドリフやいかりやさんの考え方とかは、僕は間違ってないと思ってますからね。この人のためにコントを創る、その人のために邪魔しないというのが。

藤山寛美さんがやってた舞台なんて全部そうじゃないですか。寛美さん以外は笑わせちゃいけないんですよ。みんなちゃんと普通の真面目な芝居をする、この芝居がちゃんとできないといけないんですね。ふざけたりして楽にやっちゃったりすると、芯が立たなくなっちゃう。そういうことはちゃんと学んでますよ。

この人が何か言うと周りがだーんと転ぶって時に転ばなかったら、下手すると誰も笑わない。この人が言ったことがどれだけ大きいことかということを出すために、どーんと転んだり、舞台から落っこったりするぐらいリアクションすると、この人が面白くなる。だからリアクションって物凄く大きいですね。

83

SHIMURA KEN

僕は偶発的な、他人任せの笑いにはあまり興味がない。作りこんで計算したお笑いが向いているし、好きなんです

「志村けん『ドリフとバカ殿の真実』」2003年7月

お笑いはバブルのころから変わってきたと感じています。テレビ局側も、台本をしっかり作って、セットをこしらえて計算した笑いをやらなくなってきました。おっしゃるとおり、今の主流は芸人さんたちを集めてひな壇に座らせてプライバシーを語らせるトークバラエティ。これはこれで一つのお笑いの形だと思いますが、自分が目指す方向じゃない。

僕は偶発的な、他人任せの笑いにはあまり興味がない。作りこんで計算したお笑いが向いているし、好きなんです。そうやって考え抜いたものが受けたときは本当に幸せです。

ドリフもそうでした。練習中に「それはイキ」「それはダメ」と作りこんでいく。舞台は毎日同じ内容をやるわけですから、同じ場所で毎回間違えたフリをするのは難しいんですよ（笑）。

84

SHIMURA KEN

今も自分が楽しいと思うもの以外は作らない。人をけなす笑いをやらないのも同じ理由です

「この人から〝時代を読みとる〟ヒントをもらいます」2007年7月

僕は人から笑われるのではなく、自分たちが笑わせる笑いを作りたい。最近のお笑いは、個人のプライバシーを明かして笑っていくと言いましたが、先日お亡くなりになった植木等さんなんかどういう私生活だったか誰も知らないでしょう？　何かを演じて笑われようとするとき、プライベートが見える必要はないんです。

それがこちら側もいちばん幸せになれる。ドリフ時代に、子ども向けに「こんなものでいいんじゃないの」なんて作り方をすると子どもにバカにされると学びました。だから、今も自分が楽しいと思うもの以外は作らない。人をけなす笑いをやらないのも同じ理由です。僕自身が好きじゃない。

「この人から〝時代を読みとる〟ヒントをもらいます」2007年7月

85

SHIMURA KEN

全力投球をした後っていうのはね。神経が興奮してて、帰っても寝れないんです

頭にあるのは、お笑いのことばっかりですから。まして僕なんか、ドリフのころを含めると、お笑いの世界に入って24年でしょう。

これだけ長い年数をやっていると、「あれもやった、これもやった」ってなっちゃうわけじゃないですか。

いいアイデアが浮かばないときは、「つらい」とは言いたくないんだけど、胃が痛くなることもあるし……、もちろん、考えずに楽にやるやり方も知っているんですよ。でも、1回そういう楽なほうに甘えちゃうと、次に「本気でやろう」としても立て直すのに時間がかかるんですね。

それでなくても、人間って、ついつい楽なほうに流れていくじゃないですか。スポーツ選手と同じで、僕らも普段から鍛えてないといいアイデアが浮かんでこないというか、1

か月休んだら前のテンションにもってくるのに3か月はかかりますからね。

僕も、たまにはゲストとかで、軽いトーク番組みたいなのに出ますけどね。なんか、仕事をやった気がしないいんですよ。あんまり楽すぎて。「エッ!? こんなんでいいの」って。終わったあと酒飲んでも、全然うまくねエしさ（笑）。

去年から始まった『ナンデモ笑学校』の本番が終わると、必ず夜中の3時ぐらいになるんですけど、それから一緒に出ているダチョウ倶楽部の竜ちゃんとかリーダーと必ず飲みに行くんですよ。もうクタクタになっているんだけど、そういうときの酒がまたうまいんだ（笑）。で、なんの話をしているかというと、コントの話をしているんです、朝の5時、6時まで（笑）。

ほかの連中に言わすと、「本番終わって疲れてんだから、帰って休めばいいのに」ってなるんだけど、全力投球をした後っていうのはね。神経が興奮してて、帰っても寝れないんですよ。


「バカ殿インタビュー　志村けん」１９９９年3月

86

SHIMURA KEN

すげぇんだよ。お前スターか、みたいなのがいるんだよ。面白ぇな、それがデフォルメされてネタになったりすることもありますね

日常的に、こんなことやったら面白いかなということは結構考えてますね。この前、六本木ヒルズの新しいビルの駐車場のお兄ちゃんが、すごい面白いというか、若いんだけど、格好つけてるのがおかしくて、しばらく見てましたね。歩道歩いてるのをとめて、車ぁーどうぞぉーって、すげぇんだよ。お前スターか、みたいなのがいるんだよ。面白ぇな、こいつって。

それがデフォルメされてネタになったりすることもありますね。工事現場で夜遅い時、ただ適当に振ってる人いるじゃないですか。それを道の両側でやってたらぶつかって、っていう簡単な発想のコントをやったり。

「志村けん『ドリフとバカ殿の真実』」2003年7月

87

SHIMURA KEN

見てるほうには、「いいなあ、おまえ、好きなことやってて」って思わせなきゃいけないんですよ

すごくウケない時代があったじゃないですか。それがどうしてかってわかったのはね、基本的に一生懸命やってる姿って、お客さんは別に見たくないんですよね、お笑いってね。舞台に出て、「わあ、あの人一生懸命やってるわあ」っていうふうに見えたらダメなんですよ。いかにも遊んで、楽しんでやってるふうに見せると、見てるほうも楽しくなるんで。そのことが、やって1年か2年のときにわかりましたね。遊んでるように見せなきゃダメだ、と。だから、一生懸命やってるっていうのは腹の中に置いときゃいいだけで、見てるほうには、「いいなあ、おまえ、好きなことやってて」って思わせなきゃいけないんですよね。

「わたしはあきらめない」２００３年２月

88

SHIMURA KEN

リーダーとしての資質でもっとももたいせつなものはまず忍耐

リーダーとしての資質でもっとももたいせつなものはまず忍耐。それから心を込めてやっていればいつかは通じる、わかってくれるってこと。あとは自分で見本を見せるしかないんじゃない。

やっぱり人を動かそうとする前に自分が模範にならないと人はついてこないよね。たとえば、たけしさん。つくづくリーダーだと思う。軍団の連中がみんな礼儀正しいのもそれはたけしさんがやらせているわけです。なのに、たけしさん自身は全然気取らないでしょ。怖い顔も見せないし。でも、あの連中からは怖いと思われている。それはいいことだよね。

「決断の瞬間　志村けん　コメディアン」２００６年４月

89

SHIMURA KEN

いかりやさんから学んだのはけっしてあきらめないってことだ

いかりやさんから学んだのは、けっしてあきらめないってことだな。考えても考えてもアイデアのでないときって、もういいかってなりがちなんですけどね。だけど、いちどそれをやっちゃうとだんだん癖になってくる。だから、いくらつらくてもこのライン以上のものはつくるというふうにしないと。

そこは、いかりやさんから受け継いでるつもりです。とはいっても、仕事以外のことはすごくずぼらですけどね。

「決断の瞬間　志村けん　コメディアン」2006年4月

＊　＊

ふと、昔、いかりや（長介）さんと二人で酒を飲んだときに、「お前、俺に似てるよな」っていわれたことを思い出しましたよ。「計算してコントをつくっていく」という意味で似てるっていうことですけど、コツコツつくり上げては石橋を叩いて渡るタイプですから、二人とも。

「全員集合」時代のいかりやさんもそうだったけど、頭の中からコントが離れることってないんだって。

僕も潰瘍になっては身もふたもないですから、いくらかセーブするようになりましたけど、気がつくと、つい寝ても覚めてもという感じになっていますから……(笑)。


「走り続けた『全員集合』が終わったのが34歳のとき。」2004年11月

◉ガンコで少しエッチな「日本のお父さん」役を演じる志村けん。54歳で逝った父憲司さんの面影に重なって映る。

第五章

あなたに感謝

愛情、友情、恋情

90

SHIMURA KEN

おふくろ、決まってオレに耳打ちするんですよ。「お前、いま付き合ってる人、いないのかい?」

「ちくしょう!　あの親父、いつか殺してやる!」

ってておふくろが殴られるたびにそう思ってましたね。

親父が死んで、いまこうしておふくろが、のびのびした生活を送っているのを見てるとね、「ホントに良かったなぁ〜、おふくろ」って、つくづく思うよね。あのまま、昔と同じ状態が続いていたら、こんなに長生きしていなかっただろうなぁ〜、って。

オレも忙しくて、実家には年に二回ぐらいしか帰れないけど、おふくろと二人っきりになる時間って、いいですよねぇ。別にどうって話はしないんだけど、コタツに入って、シワシワになったおふくろの顔を眺めていると、妙に心が和んできてね。

そいで、オレが帰る間際になると、おふくろ、決まってオレに耳打ちするんですよ。

「お前、いま付き合ってる人、いないのかい?」

おふくろの、いま一番の心配ごとはやっぱり、五一歳になってもまだ結婚しない、不肖の息子のことらしいです。

「オレの体、大丈夫かぁ〜!? 8回」2001年5月

＊　＊

年末年始は、テレビの特別番組の仕事が目白押しで、息つく暇もない忙しさだけど、年が明けて、実家に帰ってコタツに入ると、やっぱりホッとするね。あの自分ン家の掘ゴタツの臭いが好きなんですよ。

で、ときたま、「なんか臭うなぁ〜」と思うと、おふくろが、オレの顔見てニタ〜ッと笑って……スカシっ屁してやんの!

そんな、のほほ〜んとした雰囲気が恋しくて、正月はたいてい実家で過ごすんだけど……。

「オレの体、大丈夫かぁ〜!? 16回」2002年1月

91
SHIMURA KEN

〝おふくろの味〟でパッと浮かぶのは、すいとんですね。あの味は、おふくろじゃないと出ないいんだなあ

オレは、〝おふくろの味〟でパッと浮かぶのは、すいとんですね。「すいとん」とかいうと、あまり裕福な感じはしないでですけどね。うちのほうでは〝握り団子〟といったんですよ。上品じゃないんですよね。肉厚で中に野菜が入るんです。けんちん汁にすいとんを入れてくれ」って指定して食ったことがあるんですけど。でも、やっぱり味が上品になる。あの味は、おふくろじゃないと出ないいんだなあ。

うちは、おじいちゃんが農業をやってたんで、おふくろも手伝ってたけど、畑でさつまいもができると毎日3食、さつまいもが出てきてたんですよ。カボチャの季節には、ずっとカボチャ。だから今でも、さつまいもとカボチャは食えないですけどね。その中に、たまにすいとんが入ってくると、すごくうまくてねえ。

なんせ家族が多かったんでねえ。3人兄弟の末っ子で、あと、じいちゃん、ばあちゃん。

◉母の和子さんによれば、三人の子供の中でもとりわけ心が優しかったのは、末っ子の「けんちゃん」だったと話していた。
生き物が大好きでヒヨコや仔猫などを一生懸命に世話をしていた。和子さんの願いは「早く孫の顔が見たい」ことであった。

おやじの兄妹もいましたからね。オレが小学生のころは10人くらいいましたね。囲炉裏があって土間で食ってました。四角いでかいテーブルを向き合って囲むんです。身体の弱いばあちゃんだけが、離れてひとり、お膳で食べてたけどね。

おふくろは、みんなのご飯をお櫃からよそうので、いちばん端っこ。ご飯はおいしいっていうか……麦飯が多かったですよねえ。麦と米が半々くらいだったかなあ。うちのほうは、田んぼじゃないから米ができないんですけど、基本的に貧乏でしたからね。

貧乏だから、サンマも1尾、食えないんですよ。しっぽか頭。小さいころは頭がイヤでねえ。苦くて。だから食う時は一斉に競争ですよ。

「忘れられない『母の味』2回　志村けんさん」2007年3月

＊　＊

高校2年生の時に、家を出て付き人をするようになったんだけど、月の給料から源泉を引かれると食えないですよね。たまに実家に帰ると、おふくろが「食ってるのか?」「食ってない」。黙って台所に立ってすいとんと厚揚げを作ってくれた。家を出る時に、金を握らせてくれたりしました。

「忘れられない『母の味』2回　志村けんさん」2007年3月

92

SHIMURA KEN

おふくろにいちばん感謝しているのは、お笑いのセンスをもらったことですね

おふくろにいちばん感謝しているのは、お笑いのセンスをもらったことですね。嫁に来る前は、踊りをやったりして〝芸事〟が好きだったみたいです。おふくろの実家は明るくて、笑うのが好きな家なんだけど、でも嫁いだ先の家の中に笑いなんかなかった。おやじもじいさんも厳格で怖かった。おふくろも笑いたかったと思うんです。正月とお盆に、自分の実家に帰った時は、笑顔を見せてましたから。

そんな暮らしの中でも、遊び心があったなあ。小学生のころ、オレが朝なかなか起きないと、脇で針仕事をしながら、その糸に唾をつけてね。オレの顔にそれをつけるんだよね。ひゃーって飛び起きると、してやったりとばかりにニヤッと笑うんですよ（笑い）。

今では、人を笑わせるのもうまくなりましたよ。こたつの中で、黙って屁をしたりしてますから（笑い）。

おふくろは、87歳になりました。僕の舞台が好きでね。昨年旗揚げした志村けん一座の公演も喜んでくれた。今年6月の舞台「志村魂2」も今から楽しみにしてる（笑い）。

今は兄貴夫婦と同居してるんですけど、実家に帰った時には、必ずすいとんを作ってくれます。

「ああ、やっぱり一生、この人には頭が上がんないな」と思いますね（笑い）。

「忘れられない『母の味』2回　志村けんさん」2007年3月

＊　＊

おふくろから、「おまえ、大丈夫かい」って電話がかかってきて。なんでも知り合いから、オレの葬儀を見たとかいう情報が入ったらしくてね。だから、言ってやったんですよ。「大丈夫かいって、いましゃべっているじゃないか」って（笑）。あれ、何だったんだろう。

「人物プロファイリング39回　志村けん」2005年11月

93

SHIMURA KEN

芸事はやはり芸人の基本。考えてみれば、そういう意識も二人は共通しているね

たけしさんと、よくライバルとか言われるけれど、それはマスコミが言うことで、俺たち二人には関係ないことなんだ。互いに全然、そんな意識はない。むしろお笑いの同士、仲間みたいな感覚なんだよね。「神出鬼没タケシムケン」は二人とも、最低3年はやりたかったんだ。二人の看板だけで番組は成立しないし、作り込んでいくのに1年で結果は出ない。でも、テレビ局の言うがままにやっていたら、1年で終わってしまった。こんなことなら最初から遠慮せず、二人が本当にやりたいことをやればよかったと後悔したよ。

「8時だョ!全員集合」にしても、最初は同じようにうまくいかなかった。でも、3か月の猶予と言われた段で、本当にやりたかったコントをきちんと作り込んでいって、成功した。そんなものなんだ。ただ、昔と違い、今はテレビ局は俺らをわかってくれないし、我慢してくれない。

4月の特番「たけし☆志村　史上最強の爆笑スペシャル!!」はリベンジみたいなところもあったね。だから、まず他のお笑いの連中ができないことをやってやろうと、二人で相談したんだ。それで、コントはいいとして、タップと三味線のコラボレートをやろうと決まった。たけしさんは、ずっとタップをやっているからね。ただ、オレは三味線の経験はあったけれど、ほぼ20年ぶり。津軽三味線の上妻宏光を師匠に一からやり直したけれど、何とか形になったと思う——あれから、オレも三味線を習い続けているんだ。一日一回、いくら忙しくても触っている。やはり、芸事はやはり芸人の基本。考えてみれば、そういう意識も二人は共通しているね。

お互い酒を飲むのが好きなのは、シャイなところがあるので、酒の力を借りたくなるからだと思う。でも、俺も飲んでいるとき、仕事の話はあまりしないよ。家に帰ってから、一人になってから、じっくりネタを考えたりする。

ネタを考えるのはつらいんだけれど、結局、好きなんだろうね。たけしさんにしても四六時中、何かを考えているんだと思う。

「特別寄稿　志村けん『ビートたけしと北野武』」２００５年11月

94

SHIMURA KEN

「高倉健ですけど。志村さんに弟子入りを志願してる高倉健です」もうびっくりして

高倉健さんと共演できるなんて、考えてもみなかった。本当に夢のような話だ。健さんの主演で6月に公開される「鉄道員（ぽっぽや）」という映画に出たんだけど、出演の依頼が来た時、すぐにオッケーしちゃった。

実は、僕が北海道に入る何日か前に、健さんのマネジャーさんが僕の携帯電話の番号を聞いてきた。何の用事だろうと思ってたら、北海道に行く前日に留守番電話にメッセージが入ってる。

「高倉健ですけど。志村さんに弟子入りを志願してる高倉健です」

もうびっくりして、携帯を持ったまま思わず直立不動の姿勢になって、背筋がピーンとなっちゃった。

「変なおじさんリターンズ2回」1999年5月

高倉健さんとは、北海道ロケの時に、初めてお会いしたんです。その時は、言葉で言い表せないぐらいに大きく感じました。（略）

いきなり「弟子志望」なんて、ギャグを飛ばしてきましたから。

そのメッセージは、しばらく消さずにいろんな人に聞かせて自慢していたんです（笑）。小林稔侍さんが言っていたんですけれども、僕がやった寿司屋のジジイのコントを、健さんが真似したりするらしいですね。それ、観てみたいですけれどね。健さんは、お笑いが好きらしいですよ。撮影現場では、いろいろ気を遣っていただいて、いろんなことをしゃべっていたんです。

僕の中では健さんは、寡黙なイメージがあったんですが、映画やコントのことを、よくおしゃべりしました。冗談で今度いっしょにやる時には、僕と健さんが真面目にとんちんかんなことを言っていて、それを観ている観客が大笑いする、「ブルース・ブラザーズ」みたいなものをやろうとも言っていました。

「『鉄道員』出演者に訊く　志村けん」１９９９年６月

＊　＊

95
SHIMURA KEN

柄本明さんにも頭が下がりますね。ホント、おかしい人ですよ。シャイで常識人。でも、あの顔はおいしいよね

芝居が好きで、なおかつ僕のやるようなお笑いの世界が好きという意味では、柄本明さんにも頭が下がりますね。あの人はすごい人ですよ。「うなぎ」や「鍵」を見てもわかるけど、あんなに映画や舞台で存在感を見せているのに、

「どんな仕事も緊張しないのに、志村さんとやるときは緊張する。だから、緊張したくなったら、番組で一緒にやりたくなるんですよ」

って言うんです。

でも、僕のほうも柄本さんと共演するときは緊張する。僕とからむとき、同じセリフ、同じ動きをすることはまずないですからね。1回目の稽古のときだけは台本どおりに読んでくれるけど、次からはセリフをどんどん変えてきちゃう。本番まで毎回違うんですよ。だからお互い緊張し、結果的におもしろい作品ができる。ホント、おかしい人ですよね。

シャイで常識人。でも、あの顔はおいしいよね。いい味出しているもん。

「志村けん　お笑い帝王の逆襲！　4・最終回」1998年1月

96
SHIMURA KEN

吉さんが急に「ギターある？」って言って、「志村けんの歌」を作ってくれたの。これが泣かすんだな

もう一人、大好きなのが吉幾三さん。ここ4、5年、個人的にあの人の舞台を見ているし、青森の家にも行ったことがある。バスケットコートがあって、犬がいて、いちおう暖炉もあって。白亜のお城みたいなすごい家。

そこに行くまで、信号が赤なのにだれも止まらない。ていうか、ほとんど人に会わないんだ。ああいうのどかな所で生まれたから、吉さんは情感ある曲が作れるんだね。

あの人は情がある人でねぇ。舞台の楽屋に遊びに行ったとき、「けんちゃん、ねぇ」って言って、医者から「ガンかもしれない」と言われた話をするわけ。で、精密検査をする前に奥さんと子供が病室に会いに来て、そのとき一生懸命明るく話して、帰ったあとにオ

●役になりきるために、とにかくその所作や言葉づかいなどを、熱心に研究した。笑いの中にリアリティを取り入れ、身近なものにした。

イオイ泣いたっていうんです。

結局、何でもなかったんだけど、別の日に会ったときは、今度は「女房の足が悪くてなぁ」ってしみじみ言う。そして、

「あと5年したら芸能界をリタイアして青森に帰るよ。今まで尽くしてくれた女房と子供を大事にしたいんだ。人間って、そんなもんじゃないのか」

と泣きながら僕に語りかけるわけ。「すげえな、この人」と思ったね。そのくせ、飲みに行くとやたら女の話ばかりするんだけど。

今年は、吉さんに曲を作ってもらって、本格的な演歌を歌いたいね。この前、「志村XYZ」に出演していただいたとき、吉さんが急に「ギターある？」って言って、「志村けんの歌」を作ってくれたの。

これが泣かすんだな。聞いているうちに目が潤んじゃう。

ほんと、吉幾三と柄本明はたまんないね。できれば、一生つきあいたいですよ。


「志村けん　お笑い帝王の逆襲！　4・最終回」1998年1月

97

SHIMURA KEN

「ケンちゃん、お笑いはバカになりきることだよ」そうだよな、東さん……。わかってるよ、うん、俺もバカで終わるから……

初代の家老役が、亡くなった東八郎さんだったんです。なんとも言えない、いい味の芝居を見せてくださる方でね。「ケンちゃん、俺が芸人の遊び方を教えてあげるよ」と、芸者遊びを教わって。正月には一緒に伊豆の下田のほうへ行ってはね、芸者を呼んでみんなで「バカ殿様」のＶＴＲを見るというのが恒例行事になっていました。

ところが番組がはじまって3年目に亡くなってしまって。いまでも残念で、東さんの粋さをもっと教わっておけばよかったと……。東さんに言われた言葉で、ことあるごとによみがえってくる言葉があるんですよ。

「ケンちゃん、お笑いはバカになりきることだよ。いくらバカやってても、見る人にはわかってるんだから。自分は文化人だ、常識があるんだってことを見せようとした瞬間、コメディアンは終わるんだよ」

そうだよな、東さん……。わかってるよ、うん、俺もバカで終わるから……。


「コント一筋！　コメディアンインタビュー」2014年8月

98
SHIMURA KEN

野球が好きで球場にもよく行くんだけど、グラウンドで練習を見てると、長嶋監督ったら「今日は野球を見に来たんですか」ってマジで聞くからね

長嶋監督は、僕にとって憧れの一等賞の男ですから。

俺は野球が好きで球場にもよく行くんだけど、グラウンドで練習を見てると、長嶋監督ったら「今日は野球を見に来たんですか」ってマジで聞くからね。「いえビール売りのバイトで」ともギャグれないぐらいの真摯さで。

一番おかしかったのは、「志村君どうしてるの、ストレス解消は」って聞きながら、ゴルフのスイングの真似するわけ、長嶋さんが。だから「いえ最近あまり時間がないのでコ

レだけです」って、俺は酒を飲むポーズをしたんだ。そしたら監督、「ああドリンクですか」って。

おいおい酒を飲むことはドリンクか？　って思ったけど、ご本人は笑わせるつもりなんて毛頭ないわけ。つい横文字になっちゃうだけ（笑）。

現場じゃ笑えなかったけど、飲み屋に行ってドリンク……ドリンクだって、わーっ、すっごくウケまくった。


「気になる人と気になる話　柴門ふみと12人の男たち」１９９８年10月

99
SHIMURA KEN

ちょっとホロッとしたお便りがあったんだ

テレビ局に視聴者からの手紙がいっぱいくるでしょ。「だいじょうぶだぁ」をやってるときに、ちょっとホロッとしたお便りがあったんだ。

東北のほうの人で、オヤジさんが亡くなって、母親と娘さんが狭いアパートでつましく生活している。

お金がないから、母親はパート、娘も学校から帰ったあともずっとバイトをしているんだけど、月曜日だけはお互いに午後6時までに家に帰って、2人で夕ごはんを食べながら「だいじょうぶだぁ」を見ているんだって。

そして2人で「おもしろいねぇ。また1週間がんばろうね」と励みにしていた……。そういったことがつづられていたんだよね。

たかがお笑いかもしれないけど、けっこう大事なんだよな。仕事や生活するのがつらくても、笑うことでストレス解消になるし、嫌なことも忘れられる。僕のコントも少しは貢献しているんだよね。

人間がほかの動物と違っているのは、時間を守ることと笑うことでしょ。それなのに、日本人ってけっこう笑いを粗末にするじゃないですか。それが悲しいね。だからって、大事にされすぎても困るけど。

「志村けん　お笑い帝王の逆襲！　4・最終回」1998年1月

100

SHIMURA KEN

女性とお付き合いを始めるとき、相手の親御さんに挨拶にいってました

結婚願望もあるし、子供も欲しいんですけどね。以前は、女性とお付き合いを始めるとき、相手の親御さんに挨拶にいってました。芸能人だから、親御さんとしては「遊ばれるぞ」って心配するじゃないですか。そこで「ちゃんと付き合います。そんな変な男じゃありませんから」って誠意を見せて、安心させたかったんだよね。気をつけないと、相手の親のほうが年下だったり。で、一回だけ別れる前にも挨拶にいった。「もうお付き合いが無理みたいなんです」って。そしたら向こうの親御さんが娘に「このバカタレが！」って怒りだして。「いやいや、僕の責任もありますから」ってなだめて。やっぱり、変な男だよね（笑）。

「トーキングエクスプロージョン　エッジな人々615回」2011年3月

101

SHIMURA KEN

どの人とも、おつきあいする時は、最初から結婚したいと思ってる

僕の場合、女性とつきあっても、いつも3年以内で破局を迎えるんですよ。いまだに、なかなか結婚に至らない。まあ、僕が飽きっぽいっていうのがあるじゃないですか。好きになると、相手が自分のそばにいないとイヤなんです。そのくせ、飽きるんですよ。

彼女が自分のほうを向いているとわかると、安心して仕事ばっかりしちゃう。そうなると「冷たい」とか「あなたは変わった」って言うでしょ。こっちは変わってないつもりなんだけど。

いや、特に結婚しないと決めているわけじゃないですよ。どの人とも、おつきあいする時は、最初から結婚したいと思ってる。だけどこれがなぜか、3年くらいで破綻しちゃうんだなあ。

僕の場合、思いっきり家庭に仕事を持ち込みますからね。はたからはボーッとしている

ように見えるかもしれないけど、頭の中はコントのことでいっぱいだったりする。そういう時に彼女から話しかけられても「うん、あぁ……」とか、それこそうわのそらでしょう。

僕は一緒にいても、相手に細かいこと言わないのね。コーヒーとかも自分でいれちゃう。そのほうが早いし。でもあとから「何で言ってくれないの」と怒られる。僕としては相手のことを思って、自分でやっちゃうんだけどね。お互いに気を遣ってる、その状態がイヤになっちゃうんですよ。ほかの人は結婚したらどんなふうにやってんのかな、と思いますよ。

「50歳直前に語ったオレのすべて」1999年3月

102
SHIMURA KEN

もし結婚するなら別居結婚というか、週3日は離れていたい。それが理想だね

仕事を終えて家に帰ったら、自分の自由にさせてほしいんだね。パンツ脱ごうが、テーブルに足乗っけようが、ボーッとしていようが、やりたいことをしていたい。そんなとき、

女に気ィ遣うのが嫌なんだ。単にわがままな男かもしれないけど。

僕、どっちかというと、優しいほうでね。つきあって最初の1年ぐらいは、その女性によかれと思って一生懸命尽くすんだけど、だんだん窮屈になってきて、そのうち女に気を遣う自分が嫌になってきちゃうの。

だから、もし結婚するなら別居結婚というか、週3日は離れていたい。それが理想だね。

「志村けん　お笑い帝王の逆襲！　3回」1998年1月

＊　＊

「別居結婚」がいいって言い出したのは、ここ最近です。それまではずっと一緒にいたいと思ってたけど、なかなかうまくいかない。できれば週に3、4日は一緒にいて、ほかは離れてる。そのほうがうまくいくような気がするんです。

たとえば今考えてるのは、自分用、相手用、共同と部屋が3つあって、信号機を置いて、機嫌が悪い時は赤信号にして会わないようにするとか、そーいうの。すべての部屋にベッドが必要だから、大変だけど（笑い）。

「50歳直前に語ったオレのすべて」1999年3月

103

SHIMURA KEN

最後は、恋愛も忍耐なんだろうな。そこを耐えて、乗り越える。それが、いつも乗り越えられないですね

夫婦でも恋人でも、「これやってあげたから、これやってちょうだい」というのが嫌ですね。そういう言い方って、相手を本当に好きなのかどうかわからないでしょう。それで、3年ぐらい住んでいると、お互いの地がだいたい出てくるじゃないですか。たぶん、途中の1年ぐらいは、我慢してるんでしょうね、僕のほうが。それでたぶん、相手が自分のことを嫌になるまで待ってるんでしょうね（笑い）。

でも、最後は、恋愛も忍耐なんだろうな。そこを耐えて、乗り越える。それが、いつも乗り越えられないですね。

「恋愛は〝3年周期〟お付き合いは〝忍耐〟です！」2000年10月

第六章 僕の居場所

一人になって考える知恵

104
SHIMURA KEN

ウチの犬は彼女の代わりに晩酌の相手もしてくれるんだ

今、東京・三鷹の家で一緒に寝ているのは、女の子じゃなくて大型犬のゴールデンレトリバー。犬は5匹いたんだけど、先日1匹亡くなってね。12時から6時まで家政婦さんが来てエサをやってくれるし、お隣に調教師の人がいて散歩もさせてくれるんだけど、ゴールデンは頭いいから、僕が飼い主だってわかっている。

機嫌のいい日は筆ペンで眉毛なんか描くんだけど、それがムチャクチャおかしいんですよ。犬のほうは僕が何で笑っているのかわからないから「ウン？」って顔をする。その表情が首がクッって曲がってすっごくいいんだ。で、「お前、いい顔してるなぁ」って話しかけるわけ。

あと、ウチの犬は彼女の代わりに晩酌の相手もしてくれるんだね。ウチの犬って、赤ワインとビールが好きなんだよ。少し寂しいかな？

「志村けん　お笑い帝王の逆襲！　3回」1998年1月

105

SHIMURA KEN

衣装に着替えるコトがなければ、そのままノーパンで出掛けちゃいます

昔からオレ、寝るときは、下着を全部脱いでパジャマだけ、というのが習慣で、仕事場に行くときも、その日一日、衣装に着替えるコトがなければ、そのままノーパンで出掛けちゃいますからね。

だって、パンツ履かないと、何となく開放感があって、気持ちイイじゃないですか。

昔、『8時だョ!全員集合』（ＴＢＳ系）をやってた当時は、生番組だから時間がなくてね、人前で着替えることが多かったんで、仕方なくブリーフ履いてたけど、いまは、履いても、シルクのトランクス専門ですね。

シルクは肌触りがイイし、汗かいたときもすぐ乾くし、履いてないのと一緒って感じが気に入ってるんですよ。これ履いたらもう、他のパンツは履けないですよ。オレが買ってるのは、麻布十番にある女性に人気の下着屋さんで、確か、一枚五〇〇〇円ぐらいしたか

なぁ……。

ところが、これはちょっと恥ずかしい話なんだけど、一回だけ、酔っぱらって帰った夜、パンツ脱ぐの忘れて寝ちゃったことがあってねぇ。翌朝トイレに行って、いつものようにパジャマのズボンを下げて、新聞読みながらウンコしたら、おケツの周りにジワ〜ッと、何とも言えない違和感が広がってさ。「ああ〜ッ！」って、叫んだときにはすでに遅し！パンツの中身は、ウンコのテンコ盛り！ってなことになっちゃって……。こんなコト、大の大人が、こっ恥ずかしくて、とても人には言えないよねぇ。ホント。

「オレの体、大丈夫かぁ〜!? 10回」2001年7月

106

SHIMURA KEN

稼いだ金は使わないと。スイス銀行に預けてる場合じゃないって

あんまりお金には頓着しないね。貯金するってこともできない。

自分の身を削って何億稼いでも、自分のとこに残るのはよくて4000万〜5000万

円でしょ。だから、稼いだ金は使わないと。女にも酒にも。

クラブに3軒行ったら一晩に100万円ぐらいになるんじゃないかな。だけど、それが必要経費にならないんですよね。3年に1回ぐらい、税務署から「二次会まではOKですけど、三次会は経費として認められません」って言ってくる。

「どうでもいいけどその二次会、三次会って言い方やめてくれない？」って言うんだけどダメなの。

5億稼いでいたとき、3億の家を買ったんだけど、いまだにローンが億単位できっちり残っている。

そんなふうに苦労して購入した家でも、女房子供がいないから、だれに残すってわけじゃないし。

だいたい結婚しても、万一僕が死んだら、相続税取られるでしょ。だったら、稼いだ金は使わないと。スイス銀行に預けてる場合じゃないって。

「志村けん　お笑い帝王の逆襲！　3回」1998年1月

107
SHIMURA KEN

つらさを引き受けないと、生きる喜びというのは手に入らないんじゃないですか？

お笑い以外の仕事は考えたことありません。不器用だから、あれもこれもとできない。一つのことしか、できないんです。自分の好きなことをやり続けるというのは、それなりに大変です。

結構、つらいですよ。でも、その分、喜びも大きい。そもそも、つらさを引き受けないと、生きる喜びというのは手に入らないんじゃないですか？

今、56歳です。これからはますます妥協することなく、自分の芸を追い求めていきたい。舞台も年に1回は、やっていくつもりです。僕の場合、どうしても100点満点が取れないから、ずーっと続けているんだと思います。きりがないですよ、本当に。一生続けても、終わりがないでしょうね。

「恋と仕事の両立はむずかしい」２００６年３月

108

SHIMURA KEN

SEXに興味がなくなった、なんてことはまったくなくて、「まだまだこれからだ！」と思っているのに、情けねぇよなぁ

オレはいま五二歳。言われてみれば、そうかなあ？　って。兆候は二、三あるね。手足のしびれや頭痛はまだナイけど、酒を飲んだ翌日は、疲れも酒もなかなか抜けないとか。忘れっぽくなって、一週間前のコトなんてぜんぜん思い出せない。

で、最近は、寝る前に一日の記憶をだどって、今日は何の仕事をして、そのあと誰とどこで飲んだってことを手帳に書いているんだけど……。そうすりゃ、記憶力の訓練になるでしょ。でも、集中力はまだ衰えていねぇなぁ。だって、集中力がなきゃ仕事できないもん。

あと、EDはときどきある。この間も、友達の吉幾三さんと二人で酒飲みながら、「とくに酒飲んだときは、〝アレ？　どうしたのかなぁ?!〟ってときあるよね」って話したのよ。

気持ちとは裏腹に、ここ一発！　ってときにヘナヘナ〜と萎えちゃって、「な〜んでかなぁ〜?!」って。名付けて、『なんでか病』と命名。

ＳＥＸに興味がなくなった、なんてことはまったくなくて、「まだまだこれからだ！」と思っているのに、情けねぇよなぁ。

男の更年期障害の治療には、ホルモン補充療法、薬物療法、補助食品の摂取、科学的処置などがあるそうで、その他、日頃からスタミナのつくニンニクを食うとか、新鮮な刺身を食って、「生の気」をもらうっていうのも効果があるらしい。この間、長崎県で食ったきびなごの刺身は、すごくたんぱくで旨かったなぁ。


「オレの体、大丈夫かぁ〜!?　25回」２００２年10月

109

SHIMURA KEN

僕なんか仕事で精力使っちゃうと、ふだんはあまりいい顔はしない。ニコニコなんてしないですもん

飲んでいるとき、「静かですね」って言われることが多いんですよ。明石家さんまさん

みたいに、本番じゃなくてもおもしろいことをしゃべりっぱなしの人もいるけど、僕なんか仕事で精力使っちゃうと、ふだんはあまりいい顔はしない。ニコニコなんてしないですもん。

基本的に素顔を見せたくないんだね。自分で言うのもナンだけど、渥美清さんや高倉健さんみたいに「あの人ってふだん何やってるんだろう？　何食っているんだろう？」って常に思わせておきたい。

今、コメディアンの人が平気でトーク番組に出演するけど、僕はそういうの苦手。だから、志村けん、本名志村康徳は非常につまんない人間なんですよね。家にいても静か。そういう部分を残しておきたいんだね。

「志村けん　お笑い帝王の逆襲！　3回」1998年1月

110

SHIMURA KEN

素顔は他人にあんまり見せたくないんだよ。だから扮装するんだ。メイクしたり、カツラを被ると人格が変わってくる

ボクは素顔は他人にあんまり見せたくないんだよ。だから扮装するんだ。メイクしたり、カツラを被ると人格が変わってくる。バカ殿のカッコをすると、調子っ外れのウラ声になってくるんだ。

ボクは目も0・1以下、すごく悪いんで普段は眼鏡をしているんだけど、コントの時は外す。お客さんの顔が見えると恥ずかしいから。

ホント、シャイなんだよね。ひとりで歩くときは、自然と早足で歩いちゃうしね。ビデオを買いに行っても、店員が女の子だったりするともうアガっちゃう。カラオケなんて絶対行かない。人前で歌うなんてとてもできないよ。

ウチでも夜中2~3時に帰ってきて、ソファに寝転んで、飲みながら明け方までビデオを見るだけ。

ウチは6～7部屋あるんだけど、ボクが使ってるのは二部屋。あとは家政婦さんが掃除するだけ。ボクの他には飼っている犬5匹しかウチにはいない。そりゃ、寂しいよ。いまのウチ、折り合いさえつけば、いつ嫁さんが来てもOKなんだけどなあ。

69歳になるお袋はいつも、早く結婚して子供をつくれって言ってる。孫の顔を見るまでは死ねないとかね。ボクも40歳までにはなんとか結婚をと思ってたんだけどダメみたいだなあ。まだ半年あるけど、相手がいないんだよこのトシで。まあ色々と話は合ったけどねェ。すぐこわれちゃう。別に好みのタイプなんてないよ。どっちかというと少しスネっぽいアブナい所がある女性がいいけど、これまでつき合ってきた女性がそういうタイプかというとマチマチだし……。

オレって結構1対1になるとあがっちゃう方なんだ。だからついつい酒の力を借りてしまう。ただ、酒飲んじゃうと女の方はダメんなっちゃうけどね。ホント、情けないヤツ、ハハハ。結局、酔っぱらって帰って来て、犬に話しかけたりして……。


「〝バカ殿〟〝へんなオジサン〟が本音ポツリ」１９８９年９月

111

SHIMURA KEN

好きなものが1つあるって、人生の中ですごく幸せなことなのに、ね

バーに行ったとき、姉ちゃんたちから「お笑いってカッコ悪い」と見られるときって必ずあるんだけど、それが嫌なのかもしれないね。それを突き抜けると逆にカッコよくなるんだけど、中途半端にやめると、自分が何をしていいのかわからなくなる。だから、アレコレやろうとする。

1つのことをずーっとやってりゃいいのに。好きなものが1つあるって、人生の中ですごく幸せなことなのに、ね。

「志村けん　お笑い帝王の逆襲!　1回」1998年1月

112

SHIMURA KEN

体にいいことなんて何もしてない。でもあまりグズグズ生きるのもイヤだからね

昨日なんか一日中何にも食ってないもんね。いま気付いたんだけど夜、酒でカロリー補給しただけ。今日も夕方、出前でソバを食っただけなんだよ。それで毎晩、酒だけは飲んでるんじゃゃね……。バーボンか焼酎のボトルを1本空けてた昔に比べたら控え目にしてるんだけどなァ。でも飲まない日は無い。ウチへ帰ってからも一人で飲んでるし、もう肝臓はフォアグラよ、ハハ。悲惨だよね、体にいいことなんて何もしてない。でもあまりグズグズ生きるのもイヤだからね。

煙草にしたって1日に3箱は吸うよ。ボクは意思が固いから。吸ったら一生吸い続ける。よく『煙草をやめられないのは意思が弱いからだ』なんて言う人がいるけど、ボクから言わせれば、やめる人の方が意思が弱いんだよ。

「〝バカ殿〟〝へんなオジサン〟が本音ポツリ」1989年9月

113
SHIMURA KEN

考えてみりゃ寂しい人生だよな。お金を使うったって税金がほとんど。あとは酒飲んでビデオ買うくらい

人生の半分まで来ちゃったでしょ。最近、もったいない気がしてしようがないんだよ。8時間も寝てたら人生の3分の1を無駄にするような気になるんだね。それでコントのネタをいつも考えちゃうんだね。このあいだも飲みに行ったクラブの女の子と話したことまで覚えてコントに使っちゃうんだから。

考えてみりゃ寂しい人生だよな。お金を使うったって税金がほとんど。あとは酒飲んでビデオ買うくらい。お金に興味もない。たまっているかどうかもずっと見てないからわかんないけど、ここ数年はたまってないような気がするな。

ただボクにとって唯一、ぜいたくだなって思っているのは、好きなことをやって、それでちゃんと金もらって生活していること。それでそこそこのランクまで来たことだね。作るのは大変だけど、作ってしまってそれを演じるのは楽しい。やっていて周りが笑う

とすごく楽しくて快感がある。だからボクなんか仕事しながらストレス解消しているようなもんだ。ボクはお客さんの前にいるだけで楽しいんだ。もちろんメイクをしてね。

「〝バカ殿〟〝へんなオジサン〟が本音ポツリ」１９８９年９月

114
SHIMURA KEN

僕は金には執着がない。やっぱり、入ってきたものはきちんと排泄しないと回ってこない

僕は金には執着がない。やっぱり、入ってきたものはきちんと排泄しないと回ってこないと思うんだ。10入ったら、8使って、2は税金を払う（笑）。だから僕は人のためにお金を遣うのも好きだね。でも、それは見返りが欲しいからじゃなくて、それが楽しいから人に施す。

すると、自然に自分に返ってくるものがたくさんあるんだ。いずれにしてもきれいに遊べる人は、一緒にいても気持ちがいいし、仕事もできる人だよね。

「30代ビジネスマンの羅針盤　志村けん」２００５年４月

115

SHIMURA KEN

休むと不安になっちゃうもん。頭を回転させてることを。何か新しいものか、なんかを見るとか聴くとかしてないとダメなのね

ビデオはよく見ますよ。ただよくないクセで、音楽聴いてもそうなんだけど、何見ても、そうやって全部（ギャグに）結びつけちゃうから。何か必ず一枚通しちゃうから。素直にもの見れないのね、ホーント。酒飲んでもそうなっちゃってるからよくないね。でもあきらめちゃった。自分はこういう人間なんだって。もう無理だもん、性格変えるってわけにいかないしね。ある意味じゃ、そういう性格だから、こういう所まできてるんだと思うし。休むと不安になっちゃうもん。頭を回転させてることを。何か新しいものか、なんかを見るとか聴くとかしてないとダメなのね。しょうがないね、そういう意味じゃ楽しみ方っていうの知らない。

「帰って来た夜８時のお笑い王　志村けん」１９８８年10月

116

SHIMURA KEN

近所の子供が登校時間にイタズラするんですよ。なんとかしなきゃあって思って、玄関のところで、待っててね

少し前だけど、近所の子供が登校時間にイタズラするんですよ。うちの呼び鈴押して逃げてくんだね。それが、朝の8時頃でしょ。こっちが、ちょうど寝てる頃ですよ。

それで、もう腹立ってね、これは、なんとかしなきゃあって思って、玄関のところで、待っててね。のぞき窓から見ながら、そうすると、そんな日に限って、来なかったりして、なんだか、まるで、自分ひとりバカな奴に思えてくるし、目はすっかり、さえてきちゃって、「オレは、一体なんなんだ」って思っちゃうね（笑）。

「今まで何回か同せいしてきたけど失敗してます！」１９８６年11月

117

SHIMURA KEN

近頃は、「健康オタク」といわれるくらい健康には気をつかっている

近頃は、健康食品は通販で購入することが多く、海洋深層水、温泉水、黒酢、豆乳、鵜骨鶏酢、霊芝、野菜ジュース、ヨーグルトは定期的に送ってもらっている。いろんな効能のある温泉水は、九州の温泉から送ってもらって、氷もそれで作っている。鵜骨鶏酢は月に10個届けられて、黒酢と豆乳はパックに入ったやつを1日1個飲んでますね。免疫力のつく霊芝は、顆粒のものを最初3杯ぐらいは普通に飲んで、あとは面倒くさくなって、焼酎の中に入れて飲んじゃうことが多いね。

ほかは、市販の黒ゴマキナコを牛乳に混ぜて飲んだり。ローヤルゼリーを飲んだり。

老化防止に良いというプロポリスを野菜ジュースに混ぜて夜1回だけ飲んでる。それと、2年前と比べたら、肉もだいぶ食うようになりましたね。1カ月に最低2回は焼き肉屋で骨付きカルビやタン塩を食ってる。

もちろん野菜もたっぷり。肉は肝臓に良く、疲れを取って、パワーアップするって再認識したから。
と、まあこんな風に、周りから「健康オタク」といわれるくらい健康には気をつかっているオレだけど、その半面、毎晩深夜まで酒を飲むことに変わりはない。オレにとって健康でいること、その理由はすなわち、「いい仕事をして、旨い酒を飲むために、健康でいたい！」ということ（最終的にはやっぱしお酒なんだけど！）このスタンスはきっと、この後何年経っても変わらないと思うな。
だって、「好きな酒をやめて、なんの人生か！」って……。

「オレの体、大丈夫かぁ～!?　29回」２００３年２月

＊　　＊

朝食は自分で作ったりするの。毎日しじみ汁を飲んだりとかね。ラーメン食べる時もしじみ汁を飲むわけ。それに漢方薬も飲む。田七人参、黒酢、きな粉牛乳。一時期１３００あった肝臓の数値も、何が効いたのか、１年後に１５０になってたからね。酒を飲みながらだったから、医者も不思議がってたよ。

「志村けん『オレは同棲〝常習犯〟』」２００１年５月

118

SHIMURA KEN

オレ、いまでも、サツマイモ見るだけでムカックもん

食えるもんは何でも食っていたから、好き嫌いはあんまりナイんだけど、どうしてもダメなのが、サツマイモとカボチャ。とくにサツマイモは、ホントにダメだね。子供の頃、家で作っているサツマイモを、「もうイヤだ！」っていうくらい食わされたから。

だって、前の晩がサツマイモの天婦羅でしょ。で、翌朝も天婦羅で、学校の弁当も、天婦羅を醤油で煮詰めたヤツを持たされて。「ただいまぁ～」って家に帰ると、おやつに、ふかしたサツマイモとダンゴにしたサツマイモ。でもって、夜もこれまたサツマイモじゃ、どんなにサツマイモが好きなヤツでも、絶対にキライになるって！　拷問じゃねぇんだからさ。で、たまに、飲み屋なんかで、「オレ、サツマイモ嫌いなんだよ」って話をすると、女のコたちが、「え～っ！　何でぇ～、美味しいのにィ～！」って、言うんだけど、「だったらおまえら、サツマイモを、毎日毎日、半年ぐらいズ～ッと食ってみろ！　バカヤロ～」って言いたくなるよね。オレ、いまでも、サツマイモ見るだけでムカックもん！

これぱっかりは、どんなに〝旨く食う方法〟があるって言われても、絶対にいやだなぁ〜。

「オレの体、大丈夫かぁ〜!?　14回」2001年11月

119
SHIMURA KEN

秋の夜長、新鮮なふぐに舌鼓みを打ち、旨い酒を酌み交わす。酒が酒を飲む

最近のイモ焼酎は、あんまりイモ臭くないしね。焼酎といえばたまに、悪酔いしないためにっていうんで、寿し屋なんかで焼酎に本わさびや唐辛子を入れて飲む人がいるけど、あれは邪道だよね、まして、焼酎にかぼす搾ったり、レモン入れたりしちゃダメだよ。例外的に「真露」に細く切ったキュウリを入れると、少し味がまろやかになるっていうけど、オレは基本的に真露は飲まないし、焼酎はロックに限ると思っているから。ところが以前、オレと夜な夜な遊び歩いていた医者が、「焼酎に野菜を入れると体にイイ」って言うんで、オレもマネして、パセリだ、セロリだって、いろんな野菜を入れて飲んでみたんだよ。したら、ちっとも旨くねぇの。それと、「絶対二日酔いしないから」ってくれたのが、利尿剤。

酒飲む前に一粒飲んだら、飲んでるあいだ中、小便ばっかり出て。ちょっと飲んだら「はい、トイレ」、座ったと思ったら、「はい、トイレ」で忙しい！　忙しい！　ちっとも酔わねぇし、落ち着いて飲んでられねぇ〜ちゅうの。「だから二日酔いにならないの」って。「あたりめぇ〜だろ！」って言うの。酔う前に出ちゃうんだから。おまけにのどは渇くし。

まあ、医者はそうやって、翌朝酒が残らないように気をつけてやってんだろうけど……。オレは「酔いたい！」んだから。ちゃんと、普通に飲みたいの。しかも、いい焼酎を！

秋の夜長、新鮮なふぐに舌鼓みを打ち、旨い酒を酌み交わす。「酒が酒を飲む」たまにはそれもまた、いいってモンよ！


「オレの体、大丈夫かぁ〜!?　29回」２００２年12月

120
SHIMURA KEN

僕は、落ち込んだ時は、自分をもっと落ち込むようにもっていくタイプ

その日の気分や酒の量によって好きな曲が変わると言ったけど、天気も関係ある。

この冬はあまりそういう機会がなかったけど、雪が降ったら、外を見ながら日本酒を飲んで、演歌を聴く、それは絶対だ。吉幾三さんの曲は、これでもかというくらい雪にあう。そういえば昔、麻布十番に住んでいたころにこんなことがあった。雪が降った時、自分んちに日本酒がなくて、友達を誘って、居酒屋に飲みに行った。それで、帰りに「コップ借りるよ」ってコップを持って出て、川崎麻世が近所に住んでいたので、彼のマンションを探して。一緒に飲んだことがある。コップを持って歩きながら、外で日本酒を飲んだなあ。

きっと、どっぷりその世界に浸かるのが好きなんだね。中島みゆきさんの曲を聴くと、おもいきり泣いてしまうし。前にラジオで対談した時、「私は自殺しようとする人を助けるんじゃなくて、背中から押すような歌を歌ってる」って言ってたけど、たしかにそうだ（笑）。

僕は、落ち込んだ時は、自分をもっと落ち込むようにもっていくタイプで、そういう時の音楽は効く。すると、誰かが家の中にいるのも嫌になってくるし。そういう、けっこうわがままなところがあるから、なかなか結婚できないのかもしれないね（笑）。

「変なおじさんリタ〜ンズ13回」２０００年５月

121

SHIMURA KEN

パン君が会った瞬間「キッ」と声を出すのは、宮沢さんと僕だけなんですって。頬ずりしてくる。いやぁ、たまらないですよ

作りこむお笑いをやっている人間は、あまり素は出さないほうがいいと思っているんです。だから以前は、素が出る番組にはあまり出ないようにしていましたが、最近はいくつか出ています。

『天才！　志村どうぶつ園』の園長も、個人的にすごく楽しんでやっています。相棒の、チンパンジーのパン君は、本当に頭いいですよ。パン君を育てているトレーナーの宮沢さんいわく、パン君が会った瞬間「キッ」と声を出すのは、宮沢さんと僕だけなんですって。それはパン君の、最高の喜びの表現だそうです。そのときの抱きつき方が、すごい。僕の背中に回した手に、ぐっと力が入りますから。

夕方になって撮影が終わると、もうすぐお別れだとわかるんですね。最後に抱っこしたとき、ぎゅーっと力を入れて抱きついてきて、頬ずりしてくる。いやぁ、たまらないです

よ。そういうのは、見ている人にも伝わるんですね。動物はウソつかないから。

「恋と仕事の両立はむずかしい」２００６年３月

122
SHIMURA KEN

昔から、子どもと動物にはかなわない

たまにパン君相手にお笑いを作ることもありますが、あくまでパン君が可愛く見えるためにはどうしたらいいかを最優先させています。僕は動物に勝とうとは思っていないですから。

昔から、子どもと動物にはかなわないと言いますが、それに逆らって自分のほうがウケようなんて考えると、ギクシャクしてしまいます。

「恋と仕事の両立はむずかしい」２００６年３月

123
SHIMURA KEN

ペットがいいのは、まず可愛いから、気持ちがなごむでしょう。あと、嘘をつかないでしょう? 喋らないし、余計なことを言わない

ちっちゃい時から動物は好きですよ。うちの前で車にはねられた猫に、毎日、赤チン塗って、包帯巻いたりしてましたし。あと、学校へ行く途中でカラスが羽を傷めて、飛べなくなっていたから、穴を掘って、木で柵を作ってやったり、食い物を持っていってやったりして看病しましたよ。

恩返しはしないですよね。カラスは。でも、よく考えたら「カラスの勝手でしょ」が大ウケしたから、あれが恩返しじゃないかって、言われたけどね（笑い）。

ペットがいいのは、まず可愛いから、気持ちがなごむでしょう。あと、嘘をつかないでしょう? 喋らないし。余計なことを言わないというのがいちばんいいですね。

「恋愛は〝3年周期〟お付き合いは〝忍耐〟です!」2000年10月

黒いゴールデン・レトリバーとダルメシアンのハーフです。全身黒いけれど、胸と足先だけダルメシアン模様なんです。

＊　　＊

1匹だけ飼うと、留守にするときかわいそうでしょう。それに、死んだときにつらすぎる。一昨年のお正月に、ゴールデンが1匹、預けた先で亡くなって箱に入って帰ってきたんです。そうしたら他の子が集まってきて、みんなでその子を舐めるんですよ。これほどつらい光景はないですね。一晩中、1人で飲みながら泣き明かしました。

犬には、いっさい芸を教えません。あれしろ、これしろと教えるのは、人間のエゴじゃないかという気がするんですよ。仕事から家に帰ってきて、犬たちが迎えてくれるときが、一番心が和みますね。女の人が待っていてくれるほうが、あったかいんだろうけど（笑）。犬は文句言わないしね。「なんで今日もこんなに遅いの？」とか、「誰とどこに行っていたのよ」とか、問いただささない（笑）。

ただ、犬は、僕の笑いを褒めてくれない。僕は褒められ好きだから、女性からも褒めてもらいたいんです。テレビを見て「今日は本当に笑ったわ」と言ってもらえるとすごく嬉しいけれど、「放送あったの、忘れてた」とか言われると、ムカつきます。

124

SHIMURA KEN

犬はオレの、心の「癒し」なんですよ

自己分析すると、ストレスが溜まりやすくて神経質で……。だから、「まっ、いいか、何とかなるだろう」ってことができないんですよ。自分でこつこつコント作って、だいたい八割ぐらいできていないと、「ゴー」しないという、そういう性格なんです。

でも、もう最近はね、あんまり深く考えるのはやめて、のんびりしようと思っているんですけど、やっぱり相変わらず不眠症でね、眠れないんですよ。そういう時は無理に寝ようとしないで、ズ～ッとビデオを観て起きてるんですけど、ゴールデンは、毎晩オレと一緒にウォーターベッドで寝ているから、あいつらが動くとベッドがユサユサ動いて、ますます眠れないんですよ（笑）。

しかもやっと眠れたと思うと、朝十時に必ずオシッコって起こすから、庭に出してオシッコさせて、それからまた寝るんですけど、一回目が覚めるとダメなんですよね。

「恋と仕事の両立はむずかしい」２００６年３月

◉一番の癒やしは「自宅で愛犬と過ごす時間」だと答える。愛犬とは寝室まで共にする。

でも、それでも犬を飼うのは、あいつらは、オレが何時に帰ろうと文句いわないから……(笑)。今風に言えば、本当、犬はオレの、心の「癒し」なんですよ。

「オレの体、大丈夫かぁ〜!? 3回」2000年12月

＊　＊

うちのシーズ(親の片方)は13年生きて、最後は老衰で、白内障になったり、あっちゃこっちゃ悪くなりましてね。もう危ないっていうんで入院させて、点滴とか、いっぱいやってもらったんだけど、入院して数日後、先生から電話がありましてね。

「もう吠えもしないし、起きもしない。どうしますか？　志村さん」って。

「じゃ、最後は、うちで看とってやります。仲間がいるから……」って返事して、家に連れてきてもらったら、あいつ、急によろよろっと立ち上がって、吠えて、オレんとこに歩いて来ましてね……。それを見た先生が「アレッ」ってビックリしちゃって。

で、その晩、その犬をゲージの所に寝かせておいたら、犬は、犬同士でわかるんですね。他の犬たちが、そいつのそばに寄っていくんですよ。

それで、夜中の二時頃になって急に、「ワン、ワン、ワン」って吠えたから、「おい、どうしたんだ？」って、様子見に行ったら、また「ワン」って、辛そうな声で吠えてね。

「なんだ、吠えないなんて言ってたけど、ウソじゃねぇか。おい、大丈夫かぁ……」って言って、朝見に行ったら、もう……。

あれが最後の一声だったんでしょうね。多分、最後の力をふり絞って吠えたんだと思う。目を開いたまま死んでたから、いまにも起き出して、オレの胸に飛びこんできそうな気がしてねぇ。

ペットが死んだら落ち込むから、絶対にペットを飼わない！　って人いるけど、確かになぁ～。オレ、いま、もしジョンがいなくなったら、相当ショックかもしれない……。

「オレの体、大丈夫かぁ～!?　11回」２００１年８月

125

SHIMURA KEN

とくにオレは、ボケが怖い

やはり健康でなきゃ、長生きしてもつまらないですよ。とくにオレは、ボケが怖い。親父が交通事故の後遺症でボケたのを見てるからね。

ボケるといえば、ある番組で、「ボケ予防」には、計画性を持って自分の好きなことを

続けること。とりわけ趣味を持つことが効果的、と教えてもらったけど、オレは気分転換にゴルフに行くぐらいで、これといった趣味はない。

というか、オレにとっては仕事が最も好きなコト、なんですよ。自己弁護じゃないけど、オレたち芸人は、舞台に立ってお客さんに笑いや感動を与えることができるし、喝采を浴びることができる。舞台に立つ喜び、興奮、それは、どんな趣味をもってしても越えられない、と思っているんです。

たとえば多趣味な人でね、アレもコレもとやっている人は、多分そういった感動がナイからできるのよ。オレたちには、その感動以上のものはナイから。基本的に、そのときは本当にもう、金も女もいらなくなっちゃうくらい気持ちよくなる。


「オレの体、大丈夫かぁ〜!?　26回」2002年11月

126
SHIMURA KEN

常に何かに恋してないと、つまらないよね

恋愛って一種の病気だからね。熱病だから。〝恋愛〟から〝愛〟にいくと、また違うん

だろうけど、病気ってことは普通とは違っておかしくなってる状態だからね。でも、女のコだったら「キレイになりたい」って思うだろうし、周りの物事に対しても感受性が豊かになるっていういいところもある。僕も恋してると、今まで気にしなかったのに月を見て「キレイだな」って思ったりするよ。

実際のところ俺は2、3年で冷めるね。でも、それは嫌いになるってことじゃなくて、それまで「会いたい」だったのが、「そばにいてほしい」って気持ちになるんだよ。それが愛に変わるってことだと思う。

恋愛って自分を見つめ直すことができるんだよね。俺ってこんなところもあるんだとか……。自分を好きな相手と比べるから、いろんなことが目に入ってくるようになるよね。でも、相手が女性に限らなくても恋は必要なんだよ。例えば、この本が好きとかこの音楽が好きとか。なんでもいいんだよ。常に何かに恋してないと、つまらないよね。これは、俺たちみたいな仕事に限らず、すべての人に言えることだと思うよ。恋をしていて、邪魔になるようなことはないよ。

「やっぱり志村さんに訊こう。8回」2011年3月

127
SHIMURA KEN

できればずっと「お笑い職人」って言われたいですね

若いときは舞台を走り回るのが当たり前でしたけど、今は無理。その代わり、動き続けるのではなく、いきなりパッと動くなど、急な動きで動作を大きく見せる。静と動をうまく使い分けることで、インパクトが出るようにしています。

舞台での緊張感、ダイレクトに伝わってくるお客さんの反応。

この気持ちよさは生の舞台だから味わえること。

1回の舞台が終わるとヘトヘトになりますが、美味しいお酒を飲みながら、またその先を考えているんですよ。できればずっと「お笑い職人」って言われたいですね。

「旅の途中　志村けん　生涯、お笑い職人」２０１６年７月

◉撮影の合間、一息ついたあとにふと見せるおだやかな笑顔は志村のやさしい人柄を現している。

128
SHIMURA KEN

ほんと、貧乏性。そういう性格を直そうと思った時期もあるんだけど、その性格のおかげでここまできたんだし

もともと、器用でもないし、普通の人間だから、人が寝てる間に勉強しようと思ってる。そう思うと、眠れないですよ。いま、毎日寝るの5時か6時だけど、明日の台本なんか見ていて、自分で作ったネタなんだけど、満足できないんですよ。もっとなんかないか……これでいいんだといいきかせても眠れないから、起き出してビデオ見たり、ほんと、貧乏性。そういう性格を直そうと思った時期もあるんだけど、その性格のおかげでここまできたんだし、直す必要もないと思って、あきらめて、眠れるまで待とうかと……そういうことになってきたんですね。それにね、オレ、飲み屋でもネタを考えているからね。こういうのウケるかなとか……オレ、悪い性格で、オレはいい性格だと思うんだけど、ハタから言わすと悪い性格で〝そんなに考えていないで休めよ〟と言われる。

「笑いの王様、大いに語る　後編」1988年11月

第7章

人生の見つけ方

石を投げてみよ

129
SHIMURA KEN

人に自分と同じくらいの点数のものを、持ってこいというのが間違っているんだよね

「俺がこんなに一生懸命やっているのに、お前ら何でわからないんだ！」って、以前は会議やスタジオで怒っていたけど、今はなくなったね。むしろ、それは間違ってることに30代後半になって気付いた。

人に自分と同じくらいの点数のものを、持ってこいというのが間違っているんだよね。僕からすればそれは20点の出来かもしれない。でも相手からすれば80点の力を出しているわけで、個人の能力には差があるし、やる気にも表れるし、こればっかりはしょうがない。仮に全員が80点で一緒だったら、今度は僕の立場がつらくなってくる。怒ってばかりいるとエネルギーをムダに消費するし、ならば怒るのをやめたほうがいいと思ったんですよ。

「賢者の贈り物　25回　志村けん×南野陽子」２００９年３月

130

SHIMURA KEN

ちゃんとしたものを見せないと人はついて来ないよ

基本的に、どうやったらいいかっていうのは自分でやって見せるしかないよね。それを見て「ああ、じゃあ俺もやらなきゃ」って思ってくれるのが一番いいことだよ。

自分でやらないで、頭ごなしに「あれしろ、これしろ」って言ったって聞く気になれないもん。

「頑張れよ」って言ったって、何を頑張るんだってことでしょ。だから、まず自分が頑張らないといけない。

セットでも衣装でもなんでも「これがやりたいから、こう言ってるんだよ」っていうことを見せなきゃいけないじゃん。

言うんだったら、ちゃんとしたものを見せないと人はついて来ないよ。それで、優秀な人のところには、優秀な人が集まってくるんだよ。反対にダメな奴のところには、どんどんダメな奴が集まってきちゃう。

いい大人はね、叱るときは陰で叱るんだよ。人前で「なんだこれ！」とか言わない。俺は、なんか言うときは、なるべく陰に行って言うね。

「やっぱり志村さんに訊こう。特別編」２０１２年６月

131
SHIMURA KEN

どうせ死んだらずっと寝られるんだから、生きているうちは苦労したほうがいいね

どうせ死んだらずっと寝られるんだから、生きているうちは苦労したほうがいいね。どんなにつらかろうがこれからも走り続けますよ。

まだまだなにも成し遂げてはいない。だからこそ、いつか一〇〇点を取ってやろうとがんばれる。

「決断の瞬間　志村けん　コメディアン」２００６年４月

◉「笑いは人を強くする不思議な力があるんだ」お笑いを語るとき、志村は必ずこの言葉を熱く口にした。

132

SHIMURA KEN

喜劇人は、ある意味、完璧主義者じゃないとダメだと思います。「もう、これでいいんじゃないの？」と思ったら、そこでおしまいでしょう

最近のお笑いを見ていると、客を裏切ろうと意識しすぎなんだよね。すると、ついていけないお客さんもいるし、一部の熱狂的なファンから先に、なかなか層が広がっていかない。実際は、お客さんが予想できるネタのほうが難しいと思います。「こうなるだろうな」と想定できて、それでも笑わさなくてはいけない。それにはかなりワザがいりますから。

ネタは家で考えることが多いですね。いつでもそばにメモを用意していて、思いつくとパッと書きとめる。バカ殿1本で、だいたい5日間くらいかかりますが、期限が押し迫ってくると、移動中もずーっと考えています。

喜劇人は、ある意味、完璧主義者じゃないとダメだと思います。上に立つ人間が「なんとかなるよ」くらいの甘い気持ちだと、下は言うことをききません。常に「いや、ここは

譲れない」「まだまだこれでは足りない」という姿勢でいないと。「もう、これでいいんじゃないの?」と思ったら、そこでおしまいでしょう。そのためには、自分に厳しくならないと、話にならない。自分自身が率先して、「いや、まだまだあるはずだ」という取り組み方をしないと、人はついてきません。

「恋と仕事の両立はむずかしい」2006年3月

133
SHIMURA KEN

元気の秘訣は好きなことやって、愚痴らないってこと!

元気の秘訣はほどよく飲むってことだよね。あとは好きなことやって、愚痴らないってこと!

「KKベストセラーズ　サーカス　2010年10月　やっぱり志村3」

*　*

笑いの世界とは一生続くものです。百点が取れないんですよね。たまに百点あげてもいいかなって思うときもありますが、たぶん見ている人は百点くれないし。不器用なんですね、きっと。まだまだひよっこです（笑）。

「読むＮＨＫ『わたしはあきらめない』再録　志村けん」２００２年７月５日号

134

SHIMURA KEN

笑うのは人間しかできないことですから。これがなかったら人生やっていけない

仕事帰りに屋台で一杯飲んで帰ってくるようなオヤジさんが、僕のコント見て疲れや悩みを忘れて、また明日もがんばろうという気になってくれたら、それが一番うれしいですね。

イヤなことがあっても思いきり笑えば忘れられる。笑うのは人間しかできないことですから。これがなかったら人生やっていけない。

だから僕は、少しでもそういう笑いをつくっていければいいなと思っているんです。自分がそういう役に立てればいってね。

「50歳直前に語ったオレのすべて」１９９９年３月

ネタについては、いつもだいたいメモをそばに置いて「あっ、そうだ」と思った時に書くようにしてる。その場で書けなくても車に乗ってから書くとかね。家では、ベッドサイドにもメモを置いてます。コントの夢見た時なんか、これはいけると思って、すぐ起きてメモしてまた寝たんだけど、朝になったら、何がなんだかわかんなかった（笑）。夢の中ではいいコントだと思ったのに。

「50歳直前に語ったオレのすべて」1999年3月

＊　＊

135
SHIMURA KEN

よく考えると、やっぱり恋愛している時のほうが、いいコントができることが多いのかな

子どもはすごく欲しいですよ。僕は、オヤジと酒を飲むのが夢でしたから。ウチのオヤジは遊んでもくれなかったからね。だから、子どもができたらいろいろやろうと思ってる。親子で「バカ殿」ができたら、面白いじゃないですか。

よく考えると、やっぱり恋愛している時のほうが、いいコントができることが多いのかな。好きな相手がいてまだ相手の気持ちがわからなくて、これからどうなるかなって時は、けっこう切ないもんでね。仕事にも集中できるんです。一生懸命仕事して、彼女をこっちに向かせようとする。

それで、コントが面白かったとか言われると、うれしいですねえ。

ただあんまり深入りして、「あそこはこうしたら」なんて言われると駄目だけど。クビ突っ込まれるのはイヤなんだ。

僕の場合、なんだかんだ言っても仕事中心の生活になってしまうし、飲んでても、仕事が頭から離れない。

「50歳直前に語ったオレのすべて」1999年3月

136

SHIMURA KEN

ドリフの時みたいに公開録画というのが、お笑いの本来の姿ですよ。ツボにピッタリはまった時なんか、何百人、何千人が、自分の思いどおりに笑ってくれる

やはり、ドリフの時みたいに公開録画というのが、お笑いの本来の姿ですよ。お客さんの前でコントやって、ウケたりウケなかったり。いろいろな人に見てもらえるからテレビもやっているけれど、直接リアクションがあるほうが、そりゃあ気持ちいいわけです。

ツボにピッタリはまった時なんか、何百人、何千人が、自分の思いどおりに笑ってくれる。テレビでコントやってる時は、ここではこれぐらい笑ってるかな、と想像しながらだから、お客さんが見えない。

逆に舞台の場合、お客さんが見えるがゆえに怖い部分もあります。一番辛いのは、やっぱりウケない時ですね。ちょっとタイミングはずして「あっ、いけない」と思ったとたん、イヤ〜な汗が脇腹をツーッと流れるんですよ。それが本当にイヤだから、いっつもコント

のこと考えてるんです。

舞台で間をはずした時は、はっきりわかります。テレビはある程度ごまかしがききますが、厳密に言えば、間の取り方ってすごく微妙で、コンマ何秒の世界です。

「50歳直前に語ったオレのすべて」１９９９年３月

137
SHIMURA KEN

〝真面目さ〟っていうのは大事だよね。どんな仕事でも一緒だよ

〝真面目さ〟っていうのは大事だよね。

どんな仕事でも一緒だよ。お笑いだって、仕事として真面目にやらないとダメ。すぐに飽きられちゃうよ。

「やっぱり志村さんに訊こう。特別編」２０１２年６月

138
SHIMURA KEN

40代って、20代、30代の蓄積があるから、引き出しがそこそこ増えてくるんだよね

40代って、20代、30代の蓄積があるから、引き出しがそこそこ増えてくるんだよね。じゃあ、こういうときはこうしようか？　あ、こっちかな？　とかできるようになる。仕事が面白くなってくる年齢なんだよな。

そう。34歳のときに、『バカ殿』が始まって、ひとりでやるようになったときに、すごく思ったの。スタッフを大事にしようって。スタッフを味方につけないと俺があしたい、こうしたいって言ったって、ついて来てくれないかもしれない。そっちの不安のほうが、大きかったよね。うまい具合にスタッフには本当に恵まれて、カメラとかいろんな人ともいまだに続いてるからね。その連中が。

「やっぱり志村さんに訊こう。特別編」２０１２年６月

139

SHIMURA KEN

自分と意見が違う人がいても、一度はそれに従ってみて、こっちの案も試してもらう。その上で、どちらか選べばいいと思うんですよ。自分を押し殺す必要もないし、押し通す必要もない

確かに現場には嫌いな人はつくらないほうがいいですね。会社だってそう。自分の仕事への意欲の妨げになるような人はつくらないほうがいいです。自分と意見が違う人がいても、一度はそれに従ってみて、こっちの案も試してもらう。その上で、どちらか選べばいいと思うんですよ。自分を押し殺す必要もないし、押し通す必要もない。あとは監督なり上司なりに選んでもらえばいいんですからね。相手を否定する必要はまったくないんです。そういう意見もあるんだっていうことを楽しめばいいんだと思いますよ。

そうやって言い合える仲になればいいんだよな。上のやつも、下の意見を聞き入れる柔軟さが必要だよな。仲良くないと下も言えないし、言っても聞いてくれないって思わせち

ゃう関係じゃダメだよな。下も上もそういう空気にしておくことが大切だよな。

「やっぱり志村さんに訊こう。24回」２０１２年7月

140

SHIMURA KEN

オレは高い声のキャラが多いんだけど、そういう声の持っている力って、いろいろな場面で影響が出ると思うよ

人を楽しませるときは高い声を使うとかね。基本的に、子供の笑い声ってすごく心地いいじゃん。あれに近い声を出すと、みんな振り向くんだよね。昔、１００歳のおばあちゃんのロケをしたときに、普通の声で呼んでも聞こえないのに、「おばあちゃん」ってバカ殿みたいな声で呼ぶと、ちゃんと振り向くんだよね。

オレは高い声のキャラが多いんだけど、そういう声の持っている力って、いろいろな場面で影響が出ると思うよ。心地いい声とか、心地いい話し方とか。

「やっぱり志村さんに訊こう。25回」２０１２年8月

141

SHIMURA KEN

人生って一度しかないんだけど、いろいろな人生を疑似体験できるからね。いいのも悪いのも……

サラリーマンって、自分でこうしたいって言ったからって、やれないでしょ。それなら、好きなことを見つけるしかないんだろうなぁ……。仕事でもいいし、それ以外でもいい。常にときめきを感じてることが生き甲斐になるんだよな。

映画や本を見るのはいいと思うよ。人生って一度しかないんだけど、いろいろな人生を疑似体験できるからね。いいのも悪いのも……いろんな人生を見ることで、人間の幅が広がっていくんだよね。そうやって見たものの中から自分でいいなと思ったことをやってみる……今日から変えてみようと思ってやってみることだね。

ホント、小さなことでいいんだよ。「今日は人より先に大きな声であいさつしてみよう」とか。それだけで変わってくると思うよ。

「やっぱり志村さんに訊こう。1回」2010年8月

142
SHIMURA KEN

酒を飲んで本音を見せ合う。腹割って話してみて、ダメだと思ったらやめちゃえばいいじゃん

僕だって行き詰ることはある。お笑いのネタでも、出ないときはホントに何も出ないからね。そういうときは映画や本を読んで勉強してる。こういうセットで、こうしたら面白いなとか、映画見ながらメモを取っているよ。

お笑いを何十年やってても、悩んで努力しているんだ。みんなが寝てる間に頑張ることだよね。会社の中で認められようと思ったら、誰よりも努力しなきゃならないし、そうすることで楽しさも出てくるんだと思うんだよ。

あとは、上司に好かれるといいんだけどなぁ……。一緒に酒を飲むのがいいと思うよ。僕もいかりやさんとはずいぶん飲んだよ。人間って酔うと嘘をつけなくなるじゃん。そうやって、酒を飲んで本音を見せ合う。腹割って話してみて、ダメだと思ったらやめちゃえばいいじゃん。「おまえ、いいやつだなあ」なんて分かってくれる上司なら、それまでよ

りずっと仕事が楽しくなるはずだよ。そういうつき合いでもなんでも、面倒くさいと思ったらおしまいだよね。なんでもやってみないと。

「やっぱり志村さんに訊こう。1回」2010年8月

143
SHIMURA KEN

まずは石を投げてみなよって。投げないことには何も始まんないよ

まずは石を投げてみなよって。投げないことには何も始まんないよ。そうやって石を投げ込んで、返ってきた波を受けることで自分は変わるんだよね。いかりやさんには言いたいこと言ってぶつかったし、いかりやさんも腹割って話してくれたし、酒を飲むっていうのは大事だよ。

とにかく、しゃべらない、何も言わないというのは一番卑怯なんだよ。それじゃ、何も変わらない……。（上司と）飲んで腹を割ってじっくり話してみることで、仕事へのやる気も変わってくるし、楽しくなっていくと思うよ。

144 SHIMURA KEN

女性は、いくつになっても「可愛い」ってのはいいんだよな。それは、顔が可愛いっていうんじゃなくて、内面が重要だよな

女性は、いくつになっても「可愛い」ってのはいいんだよな。それは、顔が可愛いっていうんじゃなくて、お酒を作ってくれる仕草だったり、気を使ってくれるのが可愛いとか。そう感じられることが女性の魅力なんじゃないかな。内面が重要だよな。

「やっぱり志村さんに訊こう。12回」2011年7月

「やっぱり志村さんに訊こう。1回」2010年8月

145 SHIMURA KEN

人間には〝無駄〟が必要なんだ。その無駄が〝遊び〟なんだよ

遊ばないとダメだよ。そうしないと金が回らないから経済的にも良くないし、楽しいこ

とがないと仕事にも影響が出るじゃん。遊びがあるから仕事も頑張れる。人間には〝無駄〟が必要なんだ。その無駄が〝遊び〟なんだよ。

大人になったかどうかなんて周りが決めることだよ。年齢がきたから変わるってもんじゃないから。中身なんだよね。年齢がいってても中身が空っぽの人間もいるから。自分で決めることじゃないよ。オレだってまだ大人だって思ってないもん（笑）。

「やっぱり志村さんに訊こう。18回」２０１２年１月

146 SHIMURA KEN この人いいなと思ったら、その人の真似をするのが一番だよ

誰か目標を決めて、真似をすることだね。

どんな仕事でもそうだと思うんだけど、この人いいなと思ったら、その人の真似をするのが一番だよ。

真似することは悪いことじゃないから。真似もできないようなら、その仕事が合ってないってことだし、真似ができたときは、自分を通してそれをやっているわけだから、自分

のモノになってるんだよね。自分のカラーが付くから、真似じゃなくなってくるんだよ。

「やっぱり志村さんに訊こう。17回」２０１１年12月

147
SHIMURA KEN

何か自信を持てるものを探すことだよな。仕事でもいいし、趣味でもいいし、夢中になれるものを見つけることだよ

まあ、何か自信を持てるものを探すことだよな。

仕事でもいいし、趣味でもいいし、夢中になれるものを見つけることだよ。ひとつでも、これは他人に絶対負けないっていう自信がつけば、他のこともやってみようっていう意欲が生まれてくるもんだよ。

「やっぱり志村さんに訊こう。12回」２０１１年７月

148
SHIMURA KEN

どんどん忘れていくことだね！　そこから挽回しようとするとハマっていくから、次のこと次のことって先に進むことだよ

「お笑いをやめたい」と思ったことは……付き人からずーっとやってきて、一度もないなあ。「ツライ」って思うことはあるけど。やっぱり、ウケないとツライって思うよね。だからウケるように、考えて台本作るんだし。でも、またそのアイデアが出てこないときにツライって思うよね。

どんどん忘れていくことだね！　そこから挽回しようとするとハマっていくから、次のこと次のことって先に進むことだよ。

空回りしちゃうんだよな。だから、次のことに行かないとダメなんだよ。もうそうなったら、一回離れて視点を変えてみることだよな。行き詰まったら、その日は「やめる」。

「やっぱり志村さんに訊こう。7回」２０１１年2月

149

SHIMURA KEN

一番の理想は、舞台に出てきて、そのまま何もしないで下がって、それなのに客は大笑いしてるっていうのだね

30、40、50、そして60と年齢を重ねてきて、考え方はずーっと変わってないね。職人さんみたいに、ひとつのことをやってきたけど、いまだ100点満点を取れないしね。だから、ずーっとやってるんだよね。

よく〝ベタな笑い〟って言われるんだけど、それは〝腕〟がないとできないんだよね。ここでこうなってこうなるって分かってて笑わせるんだから。飽きられないために手法を変えたりするんだけど、それもベタができてないとできない。

舞台なら内容の6割が、こうなってこうなるという予測どおりに運んで笑えるっていうくらいがいい。6割予測どおりに進んで、あとの4割は予測がつかないってのが、お客さんが一番楽しめて、気分よく帰れるんだよ。

一番の理想は、舞台に出てきて、そのまま何もしないで下がって、それなのに客は大笑

いしてるっていうのだね。もう、その人物が面白いっていう……。

「志村けん　恋愛、お笑いを語る。」２０１０年７月

150
SHIMURA KEN

人のせいにするのが一番嫌いなんだよね

人のせいにするのが一番嫌いなんだよね。会社が悪いだとか、社会のせいだとか。棺桶に足を入れたときに、あいつがいなけりゃとか思うの嫌じゃん。だったら自分が苦労するほうがずっといいよ！

「志村けん　恋愛、お笑いを語る。」２０１０年７月

151
SHIMURA KEN

片思いの友情ってないから、友情は必ず両思いなんだよ

お互いってのが大事。片思いの友情ってないから、友情は必ず両思いなんだよ。

こうやって相手を常に気遣っていると、次第に言葉はいらなくなってくるんだよ。ただ黙って飲んでるだけでも、なんか「この空気がいい」っていうのが一番いいよね。一緒にいるだけでホッとする。心が許せるってことだろうね。

仕事が忙しくなってくると、昔からのつき合いを続けていくのが難しいってことだけど、それはそれで仕方ないんじゃないかな。

やっぱり、同じ環境で生活をしていて、なおかつ心を許し合える友達に切り替えていくことも必要なんだよ。だって、いざというときやっぱり頼りになるのは近くにいるやつなんだから。俺みたいに生活のほとんどが仕事っていう人間は、仕事でかかわってる仲間が一番頼りになるよ。

でも、一緒に仕事をしているからってみんなが親友になれるわけじゃない。そんな頼りになる親友を見つけるにはどうしたらいいかっていうと、俺の場合は、いつもアルコールだね。やっぱり一緒に酒を飲んで、酔ってきたときに、そいつの本当の姿が出るんだ。人間って酔うと嘘をつかなくなるんだよね。

「やっぱり志村さんに訊こう。4回」2010年11月

152

SHIMURA KEN

僕はタレントじゃなくて、いつまでも〝コメディアン〟、喜劇人でありたいんだ

僕には漫才はできない。だからコントしかやれない。

人を笑わせる方法というのはいろいろあるから、自分がやっていることがすべて正しいとは思わない。でも、いつのまにか、今、「コントをやるのは志村けんだけ」となっているよね。

それはなぜかといえば、コントってとても辛いものだからなんだよね。

ネタを考えるのに時間もかかるし、セットにもお金がかかる。これは大変なことだけど、それをやっていれば長く持つんだけどね。

「5分でも10分でもいいから、自分のネタをやれよ」って、よく（ナインティナインの）岡村にも言うんだけど……。どうしても若い連中は、自分の番組を持つと、すぐに司会と、トークをしたがる。それはもったいないと思うんだけどなぁ。

若い連中には「いつでも電話してこいよ」って言ってるんだけど、かかってくることはないいね。でも、そこで自分から飛びつかないとダメなんだよな。
僕は器用じゃない。でも、コントしかできない自分は決して嫌いじゃない。コントでいろいろな役を演じるから、ドラマの話も来るんだけど、自分の好きなコントさえまだ満足できないのに、ほかの仕事ができるわけがない。だから、これからもずっとコントをやり続けてくんだろうね。僕はタレントじゃなくて、いつまでも〝コメディアン〟、喜劇人でありたいんだ。

「30代ビジネスマンの羅針盤　志村けん」２００５年４月

153
SHIMURA KEN

世の中には、自分だけが気持ちいいことなんてないんだよ、オナニー以外は（笑い）

僕がドリフで学んだことで伝えたいのは、とにかく〝常識を大切にしてほしい〟ということなんだ。

それは漢字の読み書きだとか、パソコンが扱えるかということじゃなくて、人間として生きていく上での常識のこと。

と言っても、難しいことじゃない。きちんとあいさつをするとか、人のせいにしない、言い訳しない、時間は守る、そんな当たり前のことばかりなんだ。

〝常識〟というのは、少しでも相手のことを思いやるということなんだ。

基本的に、この世の中には、自分だけが気持ちいいことなんてないんだよ、オナニー以外は（笑い）。

相手が気持ちいいから自分も気持ちよくなる。だから、相手が嫌がることをしない。相手が喜ぶことをする。それだけのことなんだ。〝常識〟をバカにするヤツには、決して常識を超えることなんかできっこないんだよ。

その上で、自分の好きなことをちゃんと見つけてほしい。「好きなことがない」と言うヤツに限って「時間がないし金もない」とか「女房や子どもがいるから」なんて言い訳するでしょ。

「30代ビジネスマンの羅針盤　志村けん」２００５年４月

154

SHIMURA KEN

待っていたって何も起こらないんだ

待っていたって何も起こらないんだ。つまらないんだったら、楽しいことを探せばいいんだ。

まずは、行動することだよ。（略）それが、好きなことを見つける第一歩になるんだよ。そこで少しでも興味を惹かれるものがあったら、それを一生懸命続けること。ずっと続けていれば誰だってうまくなるんだから。天才なんていないんだよ。強いて言えば、努力し続けられる人間が天才なんだ。

さっきも言ったように、僕はいまでも自分をヒヨッコだと思っている。まだまだ、これからもコントを、そしてお笑いを続けていきたいと思っている。

「30代ビジネスマンの羅針盤　志村けん」2005年4月

155

SHIMURA KEN

僕はドリフの笑いが好きだったんで、ドリフを選んだ。だから、一度も辞めたいと思ったことはないし、5人でいることが本当に楽しかった

いかりやさんが亡くなった。でも、ドリフは、今も解散はしていない。

僕は今、5人のグループでコントをやることが多いんだけど、そこでは自然といかりやさんの役割を演じているんだ。ネタを作るときには、決して妥協しない、という部分はいかりやさんが僕の中に息づいているのかもしれないね。

ドリフをひとつの会社に例えるとしたら、社長のいかりやさん以下、すべて年上の人ばかりだった。だから、たとえ舞台の上で加藤（茶）さんのことを殴ったとしても、仕事場以外では、いつも礼儀正しくしていた。

僕はドリフの笑いが好きだったんで、ドリフを選んだ。だから、一度も辞めたいと思ったことはないし、5人でいることが本当に楽しかった。

ドリフのすごいところは、「1人がウケたら、それは5人全員がウケたことと一緒だ」と皆が考えていたことなんだ。

「全員集合」のコントっていうのは、その時に一番勢いのある奴を生かすように作っていたんだ。まず、最後に登場する僕の笑いを皆で考える。それから、その笑いを超さないための登場の順番を考えていく。最初に高木（ブー）さんの笑いがあって、仲本（工事）さんの笑いがある。そして、加藤さんから、僕の笑いにつないで「志村けんは面白い」となっていく。そういう意味では、天狗になんかなるわけがないし、ホントにチームワークの笑いだったと思うんだ。当時、よく「ひょうきん族」と比較されたりしたけど、僕らは生放送で「全員集合」をやっているから観られないんだよね（笑）。

でも、僕は計算しつくされた「全員集合」の笑いが好きなんだ。だから、機会があればもう一度みんなでやってみたいんだ。

でも、もうリーダーはいないんだよね……。

「30代ビジネスマンの羅針盤　志村けん」2005年4月

156

SHIMURA KEN

みんなそれぞれ違う人生なんだから、自分の好きなことを探して、それを一生懸命続けてみてほしいってこと

「変なおじさん」「変なおじさんリターンズ」と本を2冊出して、ハガキやメールをたくさんもらったけど、それにも勇気づけられた。先日なんかブラジルのファンからもメールが届いた。BAKATONOSAMA（バカ殿様）宛てだったけど（笑）。

やっぱりみんなコントをやってる志村けんが好きだって言ってくれる。ビデオに録って何度も見てくれて、それで明日もがんばろうって思ってくれているのも、よくわかった。子供からお年寄りまで、楽しみにしてくれている人がたくさんいるんだし、もっとがんばらなきゃいけない。

だからコントは、これからもずっと現役でやり続けたい。そのためにはどうすればいいかって考えると、やっぱり、とことんこだわっていくことだと思う。

お笑いをめざしてたのに、全然違うことをやってる人は多い。みんな、つらいとこは避

けて通っちゃうから、せめて僕だけでも、自分のこだわりを守っていきたい。みんながマルチタレントをめざす今の世の中で、1人くらい僕みたいに何かにこだわる職人みたいな奴がいてもいいいんじゃないかと思う。

鶴瓶さんにも「志村さんがちゃんとつくりこんだコントをやらなかったら、もうなくなっちゃうよ」ってよく言われるし。

こんな僕が、もし若い世代に何か言えるとしたら、2つのことだ。

ひとつは、自分と同じ人間は絶対いないってこと。よく平凡なサラリーマンなんて言うけど、絶対に皆どこか違う。なのに劣等感を感じて生きてる人が多すぎるように思う。自分は自分で、ほかの誰にも代われない。みんながそうやって自信を持ったら、すごく楽しいよ。どんな人だって、必ず存在している意味があるんだから。

もうひとつは、みんなそれぞれ違う人生なんだから、自分の好きなことを探して、それを一生懸命続けてみてほしいってこと。僕の場合は、それはコントで、これからもずっとこだわっていく。

もっともっとみんなに笑ってほしいから。


「変なおじさんリターンズ最終回」2001年3月

157

SHIMURA KEN

あっという間だね。こんなにお笑いを長くやるとは思ってなかったけど、僕にはこれが一生の仕事ですからね。死ぬまでずっと続けますよ

夢？　うーん、もう六十二歳だからね。たいそうな夢とかじゃなくて、今の体をずーっと続けていくことかなあ。たとえば今年で七回目になる舞台「志村魂」とかね。お笑いは説明がいらないからね。だから、理屈とか、これがこう面白いとか、解説者みたいなのはあんまり好きじゃないいんですよ。僕の考えだと、お笑いはだいたい動きが七で、言葉が三の配分なんです。だからお笑いは世界中の人に通じると思うんですよね。お笑いって、よくわかんないけど元気とパワーをもらえるよね。笑ってるとさ、また頑張ろうって思えるじゃない。

マックボンボン時代から数えるともう四十年か、あっという間だね。こんなにお笑いを長くやるとは思ってなかったけど、僕にはこれが一生の仕事ですからね。死ぬまでずっと

続けますよ。

「芸能生活40周年　志村けんが初めて語った」２０１２年10月

158
SHIMURA KEN

１００点が取れるまではやろうと思うんですけども、１００点は、絶対一生取れないと思うんですよ

結局、１００点が取れないですよね。１００点が取れるまではやろうと思うんですけども、１００点は、絶対一生取れないと思うんですよ。

自分の中でたまに、「もういいじゃん、今日は１００点つけようか」という日も……そういうようなコントもありますけど、たぶんそれは見てるほうが１００点くれませんからね。だから、ずーっとやるしかないんですよね。

「わたしはあきらめない」２００３年2月

＊　＊

たしかに笑いには、人間を強くする不思議な力がある。お笑いしかできない僕だけど、

笑うことで何か明るい光が見えてくれば、本当にいいんだけどね。

「変なおじさんリタ〜ンズ1回」1999年4月

159
SHIMURA KEN

これだけ年齢も世代も違う人間が集まったグループは出ないでしょうね

これだけ年齢も世代も違う人間が集まったグループは出ないでしょうね。それにコントのセットが作れる、図面の描ける人もいなくなった。

ただ、だからこそそういう笑いが凄く新鮮に見えて、逆に求められてくるのかもしれないね。

「トーキングエクスプロージョン エッジな人々47回」1998年6月

◉お笑い界のトップランナーとして昭和、平成、令和と、ドリフターズが社会に与えた影響はとても大きい。グループの代表作「8時だョ！全員集合」は社会現象として、時代を牽引し、多くの人々の心を摑んだ。とりわけ志村けんは、求道者として、ひたすら先頭を走り続け、生涯にわたってお笑い界をリードした。そして、ダウンタウン、ダチョウ倶楽部、サンドウィッチマン、千鳥をはじめとする多くの芸人たちに影響を与えた。（左から高木ブー、仲本工事、加藤茶、志村けん）

160

SHIMURA KEN

コントも芝居も大きな違いはないけど、違うとすれば……笑わせなくていいことですね

一つの役を長く演じるのは初めて（注 ドラマ初出演・ＮＨＫ朝ドラ）なので、最初はどんな感じなんだろうと心配しました。コントも芝居も大きな違いはないけど、違うとすれば……笑わせなくていいことですね。ついつい何かしたくなっちゃうんだけど（笑）。コントは自分で設定を考えて作るからストーリーが全部わかっているし、途中で間違えても好きなように進められる。でも、ドラマは人が書いた台本を覚えて、役に入り込まなきゃならない。間違えると全員に迷惑をかけますから、ふだん使わない神経を使いました。でも、いい意味でその緊張感を楽しんでいますよ。

作曲家の役って言われても、僕自身は譜面も読めないんだけどね（笑）。ほかの登場人物はみんないい人だけど、小山田は嫌みも言うようなちょっと意地の悪いところがある男です。だから、あまり期待されても、〝笑い〟はないですよ。それもまた、意外性があっ

ておもしろいじゃないですか。

いつもと違う。志村けんらしくないところを楽しみに見てください。こんなこともやりますよっていう感じかな。

「連続テレビ小説『エール』小山田耕三役　志村けん」２０２０年６月

出典一覧（順不同）

《書籍》

「変なおじさん（完全版）」 2002年10月（新潮社）
「わたしはあきらめない」2003年2月（KTC中央出版）

《雑誌》

『女性自身』（光文社）「恋愛は〝3年周期〟お付き合いは〝忍耐〟です！」2000年10月31日号
『FLASH』（光文社）「コントの神様 志村けんの美学」2007年7月3日号
『週刊宝石』（光文社）「今まで何回か同せいしてきたけど失敗してます！」1986年11月28日号
『週刊宝石』（光文社）「美奈子倶楽部『本音を聞かせて！』」2000年2月24日号
『STORY』（光文社）「この人から〝時代を読みとる〟ヒントをもらいます」2007年7月号
『女性セブン』（小学館）「青春を支えた女性との愛を語った！」1977年1月20日号
『文芸ポスト』（小学館）「志村けん『ドリフとバカ殿の真実』」2003年7月号
『週刊現代』（講談社）「〝バカ殿〟〝へんなオジサン〟が本音ポツリ」1989年9月9日号
『週刊現代』（講談社）「初体験のBGMはビートルズ『愛こそすべて』」2003年1月18日号
『週刊現代』（講談社）「人物プロファイリング39回 志村けん」2005年11月19日号
『アサヒ芸能』（徳間書店）「志村けん お笑い帝王の逆襲！1回」1998年1月8日号
『アサヒ芸能』（徳間書店）「志村けん お笑い帝王の逆襲！2回」1998年1月15日号
『アサヒ芸能』（徳間書店）「志村けん お笑い帝王の逆襲！3回」1998年1月22日号
『アサヒ芸能』（徳間書店）「志村けん お笑い帝王の逆襲！4．最終回」1998年1月29日号
『アサヒ芸能』（徳間書店）「笑いの殿様 志村けんの『孤独な自画像3』」1989年6月29日号
『婦人公論』（中央公論新社）「50歳直前に語ったオレのすべて」1999年3月22日号
『婦人公論』（中央公論新社）「恋と仕事の両立はむずかしい」2006年3月7日号
『週刊朝日』（朝日新聞社）「舞台で理想のお笑いを追求する」2007年6月15日号
『スコラ』（株式会社スコラマガジン）「笑いの王様、おおいに語る 前編」1988年10月27日号
『スコラ』（株式会社スコラマガジン）「笑いの王様、大いに語る 後編」1988年11月10日号
『週刊明星』（集英社）「志村けんのやけっぱち放浪人生」1974年4月28日号
『MORE』（集英社）「志・村・け・んって、体のほとんどが胴みたい。」1980年9月号
『日経エンタテインメント！』（日経BP）「志村けん お笑いバカ大逆襲宣言 後編」1998年9月号
『日経エンタテインメント！』（日経BP）「変なおじさんリタ～ンズ1回」1999年4月号
『日経エンタテインメント！』（日経BP）「変なおじさんリタ～ンズ2回」1999年5月号
『日経エンタテインメント！』（日経BP）「変なおじさんリタ～ンズ4回」1999年7月号
『日経エンタテインメント！』（日経BP）「変なおじさんリタ～ンズ9回」2000年1月号
『日経エンタテインメント！』（日経BP）「変なおじさんリタ～ンズ13回」2000年5月号
『日経エンタテインメント！』（日経BP）「変なおじさんリタ～ンズ13回」2000年6月号
『日経エンタテインメント！』（日経BP）「変なおじさんリタ～ンズ15回」2000年9月号
『日経エンタテインメント！』（日経BP）「変なおじさんリタ～ンズ最終回」2001年3月号
『BIG tomorrow』（青春出版社）「心に深く残る人生の出会い」1992年5月号
『BIG tomorrow』（青春出版社）「バカ殿インタビュー 志村けん」1999年3月号
『BIG tomorrow』（青春出版社）「走り続けた『全員集合』が終わったのが34歳のとき。」2004年11月号
『BIG tomorrow』（青春出版社）「コント一筋！ コメディアンインタビュー」2014年8月号
『Top Stage』（東京ニュース通信社）「『志村魂2』志村けん×ラサール石井」2007年6月号
『TV Bros.』（東京ニュース通信社）「ロラックスおじさんの秘密の種」2012年9月1日号
『SPA！』（扶桑社）「世代の笑いの育ての親 志村けんインタビュー」1997年3月12日号
『SPA！』（扶桑社）「トーキングエクスプロージョン エッジな人々47回」1998年6月10日号
『SPA！』（扶桑社）「トーキングエクスプロージョン エッジな人々615回」2011年3月1−8日合併号
『週刊女性』（主婦と生活社）「忘れられない『母の味』2回 志村けんさん」2007年3月6日号
『週刊女性』（主婦と生活社）「志村けん『バカ殿様』22周年記念 独占インタビュー」2008年10月7日号
『クロワッサン』（マガジンハウス）「気になる人と気になる話 柴門ふみと12人の男たち」1998年10月10日号
『ザテレビジョン』（KADOKAWA）「志村の十八番 ギャグの嵐に笑い死にを覚悟」1987年11月13日号
『別冊カドカワ 総力特集北野武』（KADOKAWA）

出典

「特別寄稿　志村けん『ビートたけしと北野武』」2005年11月号
『週刊大衆』（双葉社）「ガハハ大放談『笑撃人間』登場！」1998年6月29日号
『さわやか元気』（成美堂出版）「オレの体、大丈夫かあ〜!? 3回」2000年12月号
『さわやか元気』（成美堂出版）「オレの体、大丈夫かあ〜!? 5回」2001年2月号
『さわやか元気』（成美堂出版）「オレの体、大丈夫かあ〜!? 8回」2001年5月号
『さわやか元気』（成美堂出版）「オレの体、大丈夫かあ〜!? 10回」2001年7月号
『さわやか元気』（成美堂出版）「オレの体、大丈夫かあ〜!? 11回」2001年8月号
『さわやか元気』（成美堂出版）「オレの体、大丈夫かあ〜!? 14回」2001年11月号
『さわやか元気』（成美堂出版）「オレの体、大丈夫かあ〜!? 16回」2002年1月号
『さわやか元気』（成美堂出版）「オレの体、大丈夫かあ〜!? 18回」2002年3月号
『さわやか元気』（成美堂出版）「オレの体、大丈夫かあ〜!? スペシャル」2002年4月号
『さわやか元気』（成美堂出版）「オレの体、大丈夫かあ〜!? 25回」2002年10月号
『さわやか元気』（成美堂出版）「オレの体、大丈夫かあ〜!? 26回」2002年11月号
『さわやか元気』（成美堂出版）「オレの体、大丈夫かあ〜!? 29回」2002年12月号
『さわやか元気』（成美堂出版）「オレの体、大丈夫かあ〜!? 29回」2003年2月号
『ステラ』（NHKサービスセンター）「読むNHK『わたしはあきらめない』
　再録　志村けん」2002年7月5日号
『ステラ』（NHKサービスセンター）「連続テレビ小説『エール』小山田耕三役　志村けん」
　2020年6月5日号
『サーカス』（KKベストセラーズ）「30代ビジネスマンの羅針盤　志村けん」2005年4月号
『サーカス』（KKベストセラーズ）「賢者の贈り物　25回　志村けん×南野陽子」2009年3月号
『サーカス』（KKベストセラーズ）「志村けん　恋愛、お笑いを語る。」2010年7月号
『サーカス』（KKベストセラーズ）「やっぱり志村さんに訊こう。1回」2010年8月号
『サーカス』（KKベストセラーズ）「やっぱり志村さんに訊こう。3回」2010年10月号
『サーカス』（KKベストセラーズ）「やっぱり志村さんに訊こう。4回」2010年11月号
『サーカス』（KKベストセラーズ）「やっぱり志村さんに訊こう。7回」2011年2月号
『サーカス』（KKベストセラーズ）「やっぱり志村さんに訊こう。8回」2011年3月号
『サーカス』（KKベストセラーズ）「やっぱり志村さんに訊こう。12回」2011年7月号
『サーカス』（KKベストセラーズ）「やっぱり志村さんに訊こう。17回」2011年12月号
『サーカス』（KKベストセラーズ）「やっぱり志村さんに訊こう。18回」2012年1月号
『サーカス』（KKベストセラーズ）「やっぱり志村さんに訊こう。特別編」2012年6月号
『サーカス』（KKベストセラーズ）「やっぱり志村さんに訊こう。24回」2012年7月号
『サーカス』（KKベストセラーズ）「やっぱり志村さんに訊こう。25回」2012年8月号
『週刊文春』（文藝春秋）「芸能生活40周年　志村けんが初めて語った」2012年10月11日号
『毎日グラフ・アミューズ』（毎日新聞出版）「清水ちなみの賢人の壺」1998年12月23日号
『地上』（一般社団法人家の光協会）「決断の瞬間　志村けん　コメディアン　文・大西展子」
　2006年4月号
『宝島』（宝島社）「帰って来た夜8時のお笑い王　志村けん」1988年10月号
『キネマ旬報』（キネマ旬報）「『鉄道員』出演者に訊く　志村けん」1999年6月15日号
『週刊実話』（日本ジャーナル出版）「志村けん『オレは同棲〝常習犯〟』」
　2001年5月10・17日合併号
『スカイワード』（JALブランドコミュニケーション）「旅の途中　志村けん　生涯、お笑い職人」
　2016年7月号

●本書は志村けんさんのインタビュー、対談等における発言を再構成したものです。ご協力くださいました出版社の関係各位に心より御礼を申し上げます。
尚、本書で掲載された記事について、著作権者等からの権利申し立てがあった際は、すべて弊社で責任をもって対応致しますので、当社編集部までお申し出下さい。　編集部

志村けん

しむら・けん

一九五〇年二月二十日東京都東村山市生まれ。

ザ・ドリフターズの付き人を経て、七四年四月正式メンバーに。

『8時だョ！　全員集合』で、東村山音頭や加藤茶とのひげダンス、

カラスの唄などが大人気となり、国民的スターとなる。

八六年からは単独でも活動。

主なキャラクターに「バカ殿様」「変なおじさん」「ひとみばあさん」などがある。

著書に『変なおじさん【完全版】』（新潮社）、

『これでカラダだいじょうぶだぁ〜！　志村けんのズボラ健康術』（アスコム）、

『志村流遊び術』（マガジンハウス）がある。

二〇二〇年三月二十九日逝去。享年七十。日本中がその死を悼んだ。

写真提供　イザワオフィス

志村けん　１６０の言葉

二〇二〇年 八 月 十 九 日　第一刷発行
二〇二二年十一月二十四日　第七刷発行

著者――――志村けん
編集人・発行人――阿蘇品 蔵
発行所――――株式会社青志社
〒一〇七–〇〇五二　東京都港区赤坂五–五–九　赤坂スバルビル６階
（編集・営業）
TEL：〇三–五五七四–八五一一　FAX：〇三–五五七四–八五一二
http://www.seishisha.co.jp/

本文組版――――株式会社キャップス
印刷・製本――――中央精版印刷株式会社

ISBN 978-4-86590-106-1 C0095